LE MÉRIDIEN
DE GREENWICH

OUVRAGES DE JEAN ECHENOZ

LE MÉRIDIEN DE GREENWICH, *roman,* 1979

CHEROKEE, *roman,* 1983

L'ÉQUIPÉE MALAISE, *roman,* 1986

L'OCCUPATION DES SOLS, 1988

LAC, *roman,* 1989

NOUS TROIS, *roman,* 1992

JEAN ECHENOZ

LE MÉRIDIEN
DE GREENWICH

roman

LES ÉDITIONS DE MINUIT

© 1979 by Les Éditions de Minuit
7, rue Bernard-Palissy, 75006 Paris

ISBN 2-7073-0254-6

Ils longèrent un moment le gouffre avant de trouver un
chemin qui accédait en contrebas. Le chemin était fait

1

Le tableau représente un homme et une femme, sur
fond de paysage chaotique. L'homme porte des habits
bleu marine et des bottes en caoutchouc vert. La femme
est vêtue d'une robe blanche, un peu inattendue dans
cet environnement préhistorique. On imagine sans peine
en regardant cette femme qu'un fil doré pourrait ceindre
sa taille, et des oiseaux, voire des fleurs, voletant autour
d'elle intemporellement, elle pourrait prendre l'allure
d'une allégorie d'on ne sait quoi.

C'était aux antipodes, au début de l'hiver. L'homme
et la femme avançaient sur l'arête d'un terrain pentu,
essaimé de cailloux ovales, mats et légers comme de la
pierre ponce, qui glissaient sous leurs pieds et dévalaient
de part et d'autre de la crête, s'attirant par incitation
mutuelle et formant un long ruissellement de claquements bousculés, comme un *r* interminablement roulé.
Autour de ces deux personnages, le paysage était mor-
celé, labouré, comme mâché par un hachoir ; eux-mêmes
se prénommaient Byron et Rachel.

Que l'on entreprenne la description de cette image,
initialement fixe, que l'on se risque à en exposer ou
supposer les détails, la sonorité et la vitesse de ces détails,
leur odeur éventuelle, leur goût, leur consistance et
autres attributs, tout cela éveille un soupçon. Que l'on

7

puisse s'attacher ainsi à ce tableau laisse planer un doute sur sa réalité même en tant que tableau. Il peut n'être qu'une métaphore, mais aussi l'objet d'une histoire quelconque, le centre, le support ou le prétexte, peut-être, d'un récit.

Byron et Rachel marchèrent plus d'une heure, traversant quatre kilomètres de terrain accidenté, puis ils arrivèrent sur le rebord d'une falaise qui dominait la mer. Ils longèrent un moment le gouffre avant de trouver un chemin qui accédait en contrebas. Le chemin était fait de débris d'escaliers, de poutrelles, de rampes rouillées, de cordes pourrissantes, de planches et peut-être d'autres choses encore. Le contrebas était de pierre et d'eau.

Ils regardèrent un moment vers l'horizon vide. Byron s'assit par terre, Rachel plongea le bout d'un pied dans l'eau.

— C'est froid, dit-elle. C'est ici ?

— Je suppose.

— Vous trouvez que ça ressemble à ce qu'a décrit Arbogast ?

— Tous ces endroits se ressemblent, dit Byron, et toutes les descriptions aussi.

— Quand même, dit Rachel.

— Ça n'existe pas, les récifs roses, c'est un menteur. Et puis on a le temps.

— Quand même, répéta-t-elle, un récif rose.

Elle insistait.

— Ce n'est pas l'endroit, Byron, il faut remonter la côte vers le nord.

— Je reconnais, dit Byron, ce n'est pas l'endroit. Allons-y.

Tout le temps qu'ils avaient, ils se l'approprièrent. Ils s'attardèrent sur une petite plage de sable gris de la taille d'un grand lit en demi-cercle, dont la base, tracée par la limite de la mer et constamment modifiée par le mouve-

ment des eaux s'écrasant, s'affaissant, s'entrechoquant ou
avortant sur elle, semblait toujours sur le point d'être
annexée par les vagues qui couvraient et dénudaient
obstinément cette frange de sable noyé, au statut incer-
tain, semblable à une sorte de no man's land, de zone
frontalière que l'océan aurait disputée à la terre, et qui
laissaient après chacun de leurs assauts, comme pour
marquer le territoire en signe de défi, ou comme on abandonne des armes brisées sur un champ de bataille, la
trace de leur passage sous forme de traînées d'écume
mousseuse et volatile, semblables à des dentelles déchi-
rées. Un roman, peut-être, plutôt qu'un récit.

Ils laissèrent leurs vêtements sur les rochers et se
glissèrent entre le sable et l'eau comme entre des draps
propres et froids, immergés jusqu'aux épaules. Les
vagues les plus fortes s'abattaient sur leurs visages,
masses de sel liquide qui s'engouffraient dans leurs oreilles et leurs narines, décapant leurs gorges, brûlant leurs
yeux. Ils s'étreignaient sur cette couche de poudre
détrempée, dont les grains calcaires ou siliceux s'impri-
maient un instant sur leur peau durcie avant qu'une
vague suivante vînt les éparpiller, comme si cet environnement binaire, aqueux et rocheux, se souciait de recouvrer ses constituants pour lui seul et en toute circonstance, fût-elle amoureuse. Longtemps ils restèrent ainsi,
obéissant au jeu irrégulier des lames qui commandaient
leurs corps, en décrétaient les positions. Les yeux fermés,
soudés l'un à l'autre, ils flottaient dans un puits d'abstraction, espace immortel sans pesanteur ni temps au
sein duquel pouvaient se croiser en se frôlant des ange-
lots et des poissons, par exemple.

L'un à l'autre ils se consacrèrent, jusqu'à ce qu'ils
eussent un peu mal ; puis ils se reposèrent, jusqu'à ce
qu'ils eussent un peu froid. Ils étaient étendus sur le
dos, côte à côte. Ils s'étaient dégagés de l'eau qui leur
arrivait à mi-corps, comme s'ils avaient repoussé les

draps. Les cheveux de Rachel couvraient le visage de Byron. Ils se levèrent et entrèrent dans la mer, nageant de front vers le large, vers sa borne horizontale. Comme ils se retrouvaient loin de la plage, presque en pleine mer, ils tentèrent de s'accoupler encore au-dessus d'un abîme liquide ; ils n'y parvinrent pas. Ils revinrent s'étendre au milieu des rochers, dans une alvéole de sable sec.

Ensuite ils étaient repartis, suivant la côte vers le nord. Ils étaient remontés sur la falaise. En marchant, Rachel aperçut sur sa droite, vers l'intérieur des terres, une stèle haute et maigre de béton gris, érigée au milieu d'une horde de buissons barbares dont les larges feuilles vernies s'étendaient mollement tout autour d'elle. Le mégalithe semblait ancien ; ses flancs étaient érodés, sa base rongée par les mousses qui formaient autour d'elle une gangue épaisse de feutre vert et brun.

— C'est le méridien de Greenwich, dit Byron à voix basse, comme à la vue d'un indésirable. Ne faites pas attention à lui.

— Qu'est-ce que c'est ?

— Un point de la ligne du changement de date, souffla-t-il encore comme si la stèle était pourvue d'oreilles, la ligne qui sépare une journée de la journée suivante. Cette île est très petite, plutôt isolée, et on ne l'a découverte que très tard, alors que le parcours du méridien était déjà fixé. Il n'y avait personne ici à cette époque, c'est normal, c'est inhabitable. On n'a pas dû juger utile de modifier ce parcours pour si peu.

Ils s'étaient arrêtés. Rachel ne disait rien, les yeux fixés sur la borne absurde.

— C'est un méridien tordu, poursuivait Byron, tordu et nageur. Il se faufile dans l'eau d'un pôle à l'autre, sans passer sur aucune autre terre. Je suppose que ce serait compliqué de vivre dans un pays où la veille et le lendemain seraient distants de quelques centimètres, on risquerait de se perdre à la fois dans l'espace et dans le calendrier, ce serait intenable. Il n'y a qu'ici que le méridien passe au sec, et on a marqué son passage avec ça. On aurait pu aussi construire un mur, pour diviser l'île en deux dates.

— Allons-y, dit Rachel.

— Mais c'est peut-être dangereux, protesta vaguement Byron.

— Venez.

Elle courait déjà, il la suivit. Comme ils s'étaient un peu reposés en marchant, ils s'allongèrent sur ce nouveau lit de feuilles vernies, au pied du seuil éphéméride, et roulèrent enlacés entre hier et demain, et jouirent d'un indatable aujourd'hui.

Enfin ils arrivèrent au lieu indiqué par Arbogast. Il ressemblait en effet à beaucoup d'autres points du pourtour de l'île, dans sa partie occidentée du moins, mais s'adornait d'un chapelet de récifs à fleur d'eau, comme des ailerons de squales, dont le plus saillant et le plus éloigné, envahi par une sorte de moisissure efflorescente d'un rose orangé, semblait faire office de fanal. Cette fois-ci, ils attendirent au bord de la falaise. Et puis le bateau arriva.

C'était un grand voilier aux flancs hérissés de canons, comme on peut en voir aujourd'hui enfermés dans des bouteilles ou sur les tableaux de Joseph Vernet. Il approchait lentement de la côte, cap sur le récif rose.

— Ça ne passe pas inaperçu, observa Rachel.

— Justement, dit Byron, je suppose que c'est délibéré. On n'aura jamais l'idée de vous y chercher. Gutman peut faire fouiller les bateaux de pêche, surveiller tous les embarquements et même les routes maritimes, mais jamais personne ne touchera à ça, précisément parce que ça crève les yeux. C'est un vieux tour qui a fait ses preuves.

Depuis le pont du navire, quelqu'un leur fit des

signes ; Byron agita le bras. Il n'y eut pas plus d'échange qu'il n'est possible entre une silhouette et une autre silhouette. Sur le bateau, on s'affairait à mettre une barque à la mer, avec à son bord quatre autres silhouettes qui se mirent à ramer vers la falaise, vers eux.

Le long moment qu'ils s'embrassèrent, Byron eut le temps de penser qu'ils allaient cesser de s'embrasser, qu'ils descendraient ensuite la falaise par un chemin plus facile que le premier, et la barque arriverait. Ils s'embrasseraient encore, et Rachel embarquerait au milieu des silhouettes qui seraient entre-temps devenues des visages, des corps, et des habits sur ces corps, tous précis, concrets, différents les uns des autres, et qui se remettraient à ramer dans l'autre sens en faisant bien jouer leurs muscles. Byron regarderait un moment la barque s'éloigner, et il commencerait à gravir la falaise en se retournant de temps en temps. Rachel aussi se retournerait, tant que leurs yeux seraient encore distincts les uns aux autres. Puis, lorsqu'ils auraient tous deux rallié le camp des silhouettes mutuelles, Byron cesserait de se tourner. Il parcourrait à nouveau quatre mille mètres de désert lacéré et il rentrerait au palais.

Ainsi tout se passa, à ceci près qu'il se tourna encore, une dernière fois, parvenu au sommet de la falaise, et il considéra la mer. Le navire s'y balançait mollement, dans une sorte de flottaison distraite, inattentive, comme indifférente. Il était très grand. Byron compta ses mâts, trois, puis ses voiles.

Alors, en lieu et place de tout cela, défilèrent à vive allure les chiffres six, cinq, quatre, trois, deux, un et zéro en épais caractères, grosses figures noires et floues sur un fond grisâtre infesté de poussières fugitives, à quoi succéda tout aussi vite une estampille illisible et inversée, également noire sur fond gris ; puis, abruptement, l'espace ne fut plus qu'un grand rectangle blanc très lumineux, nettement découpé sur fond noir. Ce fond s'éclairant, le rectangle pâlit, dévoilant le mur grège qui lui tenait lieu de support.

Point de roman, donc ; un film c'était. La bobine tournait follement sur son axe, l'amorce de la pellicule fouettant l'air. Georges Haas arrêta l'appareil, retira la bobine et fit courir un instant son pouce et son index sur les arêtes du ruban cellulosique. Puis il le renferma dans un étui de carton brun qu'il rangea parmi d'autres au plus profond d'un meuble de bois rouge, haut et massif, hérissé d'une multitude de tiroirs de toutes tailles, et fabriqué au dix-septième siècle par un Anglais.

2

Le bureau de Georges Haas se trouvait au deuxième étage d'un immeuble du boulevard Haussmann. La pièce avait les dimensions d'un gymnase, la table de travail celles d'un billard. Les murs étaient percés sur leurs longueurs par deux sortes d'ouvertures. Du côté du boulevard s'alignaient des fenêtres étroites équipées de rideaux sombres et de doubles vitrages. Sur le mur adverse, de grandes baies recouvertes de stores aux longues lames flexibles, parallèles et orientables, donnaient sur un vaste jardin ordonné comme un parc, dans les allées duquel on voyait s'égailler de joyeux jardiniers en tabliers de toile bleue et chapeaux de paille jaune, qui couraient parmi les massifs en brandissant de petits arrosoirs. De l'intérieur de la pièce, selon qu'on regardât vers le jardin ou vers le boulevard, le temps qu'il faisait dehors ne semblait pas tout à fait le même.

La grande table était presque désertique ; les quelques objets qui la peuplaient s'en trouvaient transformés en autant d'oasis de cristal, de cuir ou de carton. Georges Haas tira son fauteuil vers la table et pressa un bouton parant une oasis d'ébonite en forme de conque, et percée d'une foule de trous pour permettre à sa voix de passer au travers. Il déposa dans la conque une sorte de phrase d'allure monosyllabique et se renfonça dans son fauteuil.

En attendant que fleurisse le monosyllabe, il jeta un regard circulaire sur l'espace quadrangulaire, tant bien que mal. Il y avait quelques tableaux sur les murs, dont un grand Monory tout bleu représentant un couloir de l'hôtel de la Gare d'Orsay, et un monochrome d'Yves Klein également tout bleu, mais d'un ton différent. Il y avait aussi une lithographie d'Odilon Redon dédiée à Edgar Poe et intitulée *L'œil, comme un ballon bizarre, se dirige vers l'infini.* La chose figurait un aérostat, un énorme globe oculaire en guise de ballon, et, suspendu à celui-ci, tenait lieu de nacelle un plateau où reposait sur sa base une tête coupée. L'appareil monstrueux flottait entre deux airs, au-dessus d'un vague paysage marin, avec au premier plan un végétal mal défini, évoquant un gros iris ou un petit agave.

Au-dessous de la lithographie, monté sur tige, stationnait un moulage de terre cuite en provenance de Smyrne, présentant l'aspect supposé du cyclope Polyphème, au front orné d'un œil proéminent. Cependant, s'il avait respecté la vision proverbialement monoculaire des cyclopes, l'auteur de l'ouvrage n'avait pas cru bon pour autant d'éliminer la trace des deux autres yeux. A leur place, deux paupières closes, vaguement creuses, semblaient gésir sur ce visage et couvrir deux béances, laissant supposer que Polyphème avait subi peut-être une énucléation double, avant que ne lui poussât l'œil frontal.

Haas se demanda pour quelle autre raison le sculpteur avait pu conserver ces traces d'yeux ; peut-être pour d'obscurs motifs mythologiques ; ou bien quelque répulsion à substituer à ces organes deux étendues d'argile bien lisses, s'étirant des oreilles à l'arête du nez — comme s'il était moins risqué d'ajouter au visage un attribut, plutôt qu'en retrancher un autre. Mais, dès lors, Polyphème n'avait plus rien d'effrayant ; il semblait affublé d'un postiche. Il n'est pas facile de produire un monstre, pensa Haas. Le Smyrniote anonyme avait échoué par excès de discrétion, en se bornant à coller un œil en plus sur de l'humain, comme Odilon Redon, encore lui, dans son cyclope exposé au musée d'Otterlo, avait échoué en réduisant la tête entière de Polyphème à un œil unique, à l'exclusion de tout autre organe, un gros œil occupant une énorme orbite crânienne, et, de surcroît, bleu ; autre excès.

La conque produisit un bref bourdon, signe que le monosyllabe avait germé. Haas leva les yeux vers la porte du bureau, que Pradon, de l'extérieur, poussa.

Haas avait autour de cinquante ans, Pradon autour de trente. L'homme qui entra avec Pradon était d'un âge équidistant. Maigre et vêtu de couleurs mal assorties, il portait des lunettes aux verres extrêmement épais formant loupes, qu'il orienta vers Haas pendant que Pradon le guidait vers un fauteuil.

— J'ai hésité, Russel, dit Haas.

— Ils hésitent tous, dit Russel en s'asseyant. Et au fond c'est bien normal.

— Je n'étais pas sûr que vous puissiez convenir. Même aujourd'hui, je ne sais pas.

— C'est votre droit, reconnut Russel, mais je vous donnerai des garanties. De quoi s'agit-il ?

Haas eut un petit mouvement de la main vers son secrétaire.

— Une disparition, récita Pradon. Un chercheur des laboratoires a disparu avec un document que monsieur Haas désire récupérer. Il semble que la fille de monsieur Haas soit également partie avec lui. Monsieur Haas désire également la récupérer, bien que les deux problèmes soient évidemment distincts.

— Vous voyez l'esprit général de la chose, supposa Haas.

— A merveille, dit Russel, c'est un schéma très classique. Continuons.

— Un instant, fit Haas.

16

— Avant de poursuivre, commenta Pradon, monsieur Haas souhaiterait avoir un aperçu de vos travaux.

— C'est bien naturel, dit Russel en tirant de sa poche un petit objet plat qu'il tendit devant lui. Mon curriculum vitae.

Pradon défit l'emballage de cellophane d'où il extirpa une petite bobine de film, du même type que la précédente. Il se dirigea vers le cyclope et dut faire jouer quelque ressort dissimulé derrière la nuque antique, car la tête s'ouvrit en deux, pivotant sur d'invisibles charnières et découvrant un petit appareil de projection logé à l'emplacement supposé du cerveau de Polyphème. Pradon disposa l'amorce du film dans les rouages de l'appareil, qu'il déclencha après avoir tiré les rideaux et actionné les stores, dont les lames se fermèrent comme des murs de paupières parallèles.

L'œil frontal scintillait, projetant dans la pièce un faisceau conique, comme un entonnoir lumineux matérialisant les poussières flottantes, invisibles ordinairement. Au même instant, issu d'enceintes encastrées dans les cloisons, se fit entendre un son, ou plutôt les prémices, le support ou le rail d'un son à venir, perceptible en soi mais d'une tonalité vide et neutre, légèrement chuintante, comme un frottement feutré ponctué de craquements parasites. Lorsque la musique s'engouffra sur le rail, Haas et Pradon se tournèrent vers le mur opposé au cyclope. Russel ne bougea pas, le regard toujours posé devant lui, vers le bureau, figé dans son fauteuil derrière ses verres énormes comme un insecte en sommeil, ou en alerte.

La musique était binaire, schématique et amplifiée ; dans ses interstices se logeaient des tintements de verres et des bribes de conversations floues. L'image elle aussi était floue ; on y distinguait des couleurs vives ; Pradon fit le point.

Une femme se dévêtait sur la scène étroite d'une boîte

17

de nuit. On apercevait en coulisse un homme plus âgé qu'elle qui la regardait, ramassant et pliant l'une après l'autre les étoffes projetées vers lui en ordre décroissant. A l'issue du processus, la jeune femme agita rythmiquement quelques minutes tout ce qui restait d'elle, puis s'en fut.

Le rideau se ferma, étouffant des applaudissements étiques.

— Bonsoir, Carla, dit l'homme.

— Bonsoir, Abel, dit la femme.

De cette façon, on connaissait leurs noms. Il s'approcha d'elle et lui tendit le petit paquet de vêtements superposés avec soin.

— Personne ne pense jamais au type qui les ramasse, s'attendrit-il.

— Tant qu'il y a quelqu'un pour les ramasser, soupira Carla, c'est que tout n'est pas perdu.

Un spectateur s'était risqué hors de son parc. Il fixait Carla d'un regard de convulsionnaire en serrant sous son bras un sac en matière plastique jaune. Abel dut le pousser pour qu'il s'en aille ; il sortit à reculons.

— C'est tous les soirs pareil, dit Abel en revenant vers elle, il faut se battre.

— J'attends quelqu'un ce soir, dit Carla, un Américain. Tu le laisseras passer.

Abel acquiesça. Il la regardait. Elle défaisait le lacet rouge qu'elle portait au cou, seule parure qu'elle conservât sur scène au terme de son déshabillage ; aussi nue que possible elle était maintenant. L'exercice de la gérance de cet établissement avait lentement construit, au fil des années, une sorte de muraille entre Abel et la nudité, un écran imperméable, quoique assez transparent, qui le prévenait contre tout frémissement. Il circulait, ordinairement impassible, parmi les corps découverts et fardés, indifférent comme un scalpel bondissant de foie en foie. Néanmoins, il la regardait.

LE MÉRIDIEN DE GREENWICH

— Attention, sourit-elle, tu vas devoir te battre avec toi-même.

Il passa d'un pied sur l'autre, déglutit, et une bête gêne lui fit chaud au visage. Carla sourit encore et monta vers les loges. Abel tourna un moment dans la coulisse, les traits préoccupés, puis il dériva vers le bar comme sous l'effet d'un tropisme.

Dans la loge régnait un grand désordre. Carla était assise devant un grand miroir rond bordé d'ampoules nues, grillées pour la plupart, et se démaquillait avant de se remaquiller. Lorsqu'on frappa, elle se leva vivement et courut ouvrir, brutalement freinée dans son élan dès qu'elle eut ouvert la porte. Machinalement, elle croisa ses bras sur sa poitrine.

— Excusez-moi, dit-elle, j'attendais quelqu'un d'autre.

— Je passe pour les aveugles, dit Russel.

Il avait troqué ses verres épais contre des verres opaques. Il portait une canne à la main gauche, et dans la droite une petite boîte en fer avec une poignée, une fente sur le dessus et une étiquette collée sur le devant.

— Bien sûr, un instant, fit Carla en décroisant ses bras.

Elle retourna vers le miroir, ouvrit son sac et revint avec des pièces qu'elle fit glisser dans la fente ménagée à cet effet.

— A votre bon cœur, dit Russel en pressant la poignée de son tronc portatif.

Cela fit très peu de bruit, mais il y eut subitement un petit trou sous le sein gauche de Carla, au niveau de l'organe susnommé. Elle eut un sursaut, puis, le regard plein d'étonnement, elle se laissa glisser sur le sol de la loge recouvert de grandes dalles de linoléum imitation marbre rose, où ses cheveux défaits formèrent autour d'elle en se posant un petit tapis circulaire et blond. Russel dégagea le bout de sa chaussure coincée sous le corps, souffla sur le tronc factice d'où s'échappait une

19

volute, puis se dirigea vers le fond de la loge, semblant dans ce mouvement se rapprocher des spectateurs, jusqu'à tendre une main vers eux dans le geste qu'il fit pour arrêter la caméra dissimulée dans la penderie. Il y eut un dernier gros plan sur son visage, un peu de travers — puis le noir.

— Ingénieux, dit Georges Haas. Poursuivons.

3

Ainsi, Vera était dans sa chambre, allongée sur son lit, quand stridula le téléphone.

Pour des raisons de longueur de fil, le téléphone était fréquemment installé dans la salle de bains, à l'autre bout du couloir. Ainsi, Vera traversa le couloir.

La salle de bains était presque trop grande. Le plafond était haut, les murs livides, avec des traînées grises. Le téléphone était instablement posé sur le rebord du lavabo. De près, il ne stridulait plus, il stridait ; il trépignait, s'époumonnait furieusement, par saccades brusques, qui semblaient chaque fois compromettre un peu plus dangereusement son équilibre. Vera s'assit à l'angle de la baignoire.

— C'est moi, transmit l'appareil. Paul.

— Oui, c'est moi, dit-elle.

— J'appelais comme ça, dit Paul évasivement.

Et il se mit à parler continûment. Et Vera se mit à l'écouter distraitement. Il y avait très peu de lumière dans la salle de bains ; sous l'ombre et le fard ses paupières étaient noires. Elle s'exprimait surtout par acquiescements vagues, un peu étirés. Quand il lui arrivait de parler, elle déplaçait rapidement ses yeux, qu'elle avait grands, à gauche, à droite, très rapidement vraiment. Elle ressemblait à Dorothy Gish, la sœur de Lilian.

21

Paul appelait pour la troisième fois de la journée. Il était insistant. Sa voix entrait dans l'oreille de Vera comme une espèce d'aliment sec, déshydraté, congelé et entortillé dans une ficelle de coton beige très fin. Il ne cessait d'articuler. Elle n'arrivait pas à percevoir de scansion, ni même de respiration, dans le brouillard de ses longues phrases infestées de digressions, d'inversions, d'ellipses, de renvois, de ratures et d'énumérations que malgré lui véhiculait le fil du téléphone, lui-même noir, extensible et spiralé. Et Vera s'amusait à tendre et à détendre ce fil, et faisait même des nœuds avec, de sa main libre, pour compliquer un peu plus encore ce que disait Paul.

Elle regardait la baignoire, encore emplie d'une vieille eau qui froidissait. C'était Paul tout entier qu'il aurait fallu jeter au bain, avec tous ses mots, pour qu'eux et lui s'assouplissent, s'amollissent, se dilatent et changent de sens, comme ces fleurs de papier orientales que l'eau délivre de leur état informe d'obscur cocon contracté, et qui flottent enfin, épanouies, au cœur du liquide — mais quelle comparaison usée, déplora-t-elle.

— C'est exceptionnel, vous savez, disait justement Paul, d'ordinaire je suis d'un naturel plutôt réservé.

Vera décrocha de son support le petit écouteur d'appoint, lourd et noir comme un vrai objet qu'il était. Elle le fit balancer au bout de son fil qui glissait lentement entre ses doigts au-dessus de la baignoire, jusqu'à ce qu'il vînt à frôler presque la surface savonneuse. Elle se demanda s'il était bien prudent d'immerger cet écouteur, si une haute tension ne risquait pas d'envahir brusquement l'eau, l'air, elle-même, dans de grands éclairs blancs. Elle s'imagina tétanisée, tombant dans la baignoire qui se mettait à bouillir et vibrer comme un vieux transistor monté à fond ; l'eau grise faisait un bruit de flipper fou ; et Paul qui criait de son côté.

— J'aimerais bien vous voir, s'obstinait Paul.

Elle reposa l'écouteur et trempa sa main dans l'eau. Au fond, elle préférait prendre des douches. Sous la douche elle sentait mieux le liquide visiter et travailler sa peau, obstacle entre deux eaux, celle qui vient, celle qui fuit ; son corps devenait un intermédiaire, un relais dans le labyrinthe d'eau courante qui parcourt les villes en filigrane.

— Pas ce soir, en tout cas.

Elle avait dit cela d'un ton très sûr, comme si elle y pensait vraiment, comme si elle s'occupait sérieusement de cette idée, alors qu'emportée par l'eau courante elle envisageait plutôt de se dissoudre, de se fondre dans cette eau et de la suivre jusqu'aux fins fonds des canalisations, et ainsi de se rendre partout, et semer la terreur en surgissant d'un robinet inopiné, et haranguer les foules du haut des geysers, des fontaines, et enfin, voluptueusement, se démultiplier par les pores d'une pomme d'arrosoir pour rejoindre les fruits, les fleurs et les légumes.

— Je ne vous entends pas, dit Paul.

— Mais je ne dis rien.

— Où êtes-vous ?

— Dans la salle de bains. Je suis assise au bord de la baignoire.

Et, sur sa prière, elle précisa que cette baignoire avait des pieds, des parois, un fond, une bonde et des robinets. Il voulait tout savoir, même ce qu'on n'a pas besoin de savoir. Ensuite, il y avait des tuyaux qui reliaient cette baignoire au monde, et qui convergeaient avec d'autres tuyaux vers un coin sombre au fond de la salle de bains ; ensuite, elle ne savait pas.

Paul était ravi d'apprendre tout cela, ravi de l'occasion. Justement, il pouvait en parler, et il détailla le parcours des tuyaux dans leurs gaines à travers le plâtre, le ciment, le béton, jusqu'aux égouts, aux collecteurs, aux stations de filtrage — et de là le liquide revenait, par d'autres tubes, courant sans cesse, usant tout sur son passage, les tubes, les objets, les peaux savonnées, s'usant lui-même.

Maintenant, donc, il parlait de l'eau. On ne peut pas savoir si Vera l'écoutait vraiment. Volubile, il fournissait sur l'eau quantité de détails arbitraires, comme il en aurait fourni autant sur n'importe quel sujet : ainsi, on lavait l'eau en plaçant sur son passage des résines qui en fixaient les impuretés ; ainsi, à chaque espèce particulière d'impureté correspondait une espèce particulière de résine ; tout cela était très bien organisé ; on nettoyait les résines à la saumure.

La saumure fit sourire Vera, mais Paul n'entendit pas ce sourire.

— Autre chose, maintenant, dit-elle.
— Une histoire, proposa Paul.
— Je veux bien.
— Les trois lanciers du Bengale, annonça Paul.

Il était une fois trois soldats de l'armée des Indes, dans un régiment de lanciers commandé par un certain colonel Stone. Le premier soldat s'appelait Mac Gregor, le second s'appelait Forsythe. Le troisième, moins intéressant que les autres, s'appelait Stone, c'était le fils du colonel Stone ; ça n'allait pas très bien entre le jeune Stone et le vieux Stone. Bien. Tous ces gens se battaient contre un maharadjah nommé Mohamed Khan, qui s'était adjoint le concours d'une belle espionne nommée Tania ou quelque chose comme ça.

Paul promit la suite pour plus tard.

— Un autre jour, dit-il. Je rappellerai.

Avant de raccrocher, Vera sourit encore, haussa doucement les épaules, acquiesça du regard et fit un petit geste de la main, et de ces quatre mouvements personne ne sut jamais rien. Ensuite elle retourna dans sa chambre et s'étendit sur son lit après avoir tiré les rideaux de sa fenêtre.

4

Celui qui marchait dans la rue vit peut-être des rideaux que l'on tirait à la fenêtre d'un étage, mais il n'y prêta pas d'attention particulière.

Celui-là se nommait Selmer et se prénommait Théo. Il était peut-être un peu plus grand que la moyenne, mais à peine. Il portait un pantalon de velours gris et une veste en drap bleu au col usé et remonté à cause du froid.

Théo Selmer ne se rasait qu'un jour sur deux ; ce n'était pas le jour. Par ailleurs, sa chambre d'hôtel étant maigrement équipée, il ne se lavait qu'un jour sur trois. C'était le jour. Il prenait ses bains dans un débit de bains, place des Patriarches, et voici qu'il en sortait à peine, triste mais propre, humide et humilié. Il était seul. Il longea la Mosquée, traversa le Jardin des Plantes, rejoignit la Seine et la traversa elle aussi.

L'itinéraire de Théo Selmer ne semblait guidé par aucun but particulier. Il se laissait marcher plutôt qu'il ne marchait lui-même. Il suivit les quais où quelques bouquinistes engoncés, emmaillotés sous des manteaux superposés, frappaient le sol avec leurs pieds en soufflant sur leurs mains. A deux reprises il s'attarda sur des stocks de livres poussiéreux et étrangers, mais il n'en acheta aucun. Il n'avait pas beaucoup d'argent sur lui, ni chez lui, ni dans aucune banque, bref il n'avait pas

25

beaucoup d'argent. Il trouva la rue de Rivoli, et la suivit jusqu'au Palais-Royal. La statue de Jeanne d'Arc, d'apparence luisante et dorée sous le soleil, était jaune et mate dans l'air gris sur son passage.

Place du Théâtre-Français, la vue de l'Opéra, de loin, lui donna faim : l'édifice évoquait une grosse amandine. Il entra dans une boulangerie et acheta un croissant qu'il paya avec un billet de dix francs. La boulangère lui versa dans la main une cascade de monnaie qu'il fit mine de vérifier, d'un regard trop rapide pour vérifier vraiment. Il remonta l'avenue de l'Opéra par le trottoir de droite, en faisant son propre inventaire tout en mâchant son croissant.

Dans les poches de son pantalon gisait, à droite, un billet de cinquante francs, noyé dans la monnaie du billet de dix qui battait à chaque pas contre sa cuisse ; à gauche, des titres de transport en commun, neufs et usagés. Dans celles de sa veste, il y avait un petit carnet maigre à spirale métallique déformée, constitué d'une couverture en carton vert déteint, d'une vingtaine de feuillets, vierges en majorité, et de restants de feuillets arrachés coincés dans la spirale ; quelques pages se paraient de numéros de téléphone, avec ou sans noms accolés, de références de livres en éditions étrangères, de notes illisibles ou barrées et de petits dessins informes et fortuits. La même poche contenait encore un paquet de cigarettes aplaties, tordues et vidées à leurs extrémités, ainsi qu'un briquet et un stylo, tous deux en matière plastique rouge ; s'y trouvaient encore des tickets effilochés de musées et de cinémas, trois ou quatre pesos colombiens, des brins de tabac, des débris textiles et un cheveu. L'autre poche était tout entière occupée par l'exemplaire broché d'une grammaire polonaise qui frappait régulièrement sa hanche gauche, à contretemps du rythme impulsé par la monnaie.

La poche intérieure de sa veste était meublée d'un

26

passeport bourré de visas et d'un portefeuille en cuir jaune contenant un carnet de vaccination, la photographie d'une maison, un billet d'avion périmé et un permis de conduire très usé, délivré en 1962 par la préfecture de Toulon (Var), consolidé par un vieux ruban adhésif devenu sec et craquant, et orné d'un photomaton de Théo Selmer à l'âge de dix-neuf ans. Divers imprimés d'allure officielle, rédigés en langue anglaise, espagnole ou portugaise, achevaient d'emplir les plis du portefeuille. La plupart de ces papiers ne lui servaient à rien, mais Selmer ne pouvait se résoudre à les jeter et il se le reprochait parfois, mollement.

Il laissa le palais Garnier sur sa gauche et rejoignit la rue de la Chaussée-d'Antin, envahie sur toute sa longueur par un grouillement d'enseignes au néon multicolores, mobiles, clignotantes, qui semblaient par leur démesure appartenir à un décor de théâtre ou de cinéma, monté à grands frais pour le temps d'une prise de vue ou d'une représentation, les machinistes attendant dans la coulisse le moment du démontage. C'était la période des soldes, et une foule énorme de figurants se pressait autour des présentoirs et des bacs débordant d'habits démarqués. Selmer dut se frayer un chemin parmi les mères de famille qui s'arrachaient en piaulant des lots de sous-vêtements, encadrées par des escadrons de vendeuses aux yeux éteints et cernés. Parvenant à s'extraire du magma négociant, il déboucha sur une place flanquée d'un square où s'affairaient vaguement des retraités et des pigeons, les uns nourrissant les autres à l'aide de débris alimentaires.

Il traversa la place et monta la rue Blanche, puis la rue Pigalle jusqu'au boulevard de Clichy. Le quartier commençait à se garnir de femmes disséminées sur les trottoirs, seules ou par petits groupes de deux ou trois. L'acuité de l'hiver les contraignait à se couvrir, dissimulant sous des manteaux leurs arguments d'habitude exposés autant qu'il est possible, et réduisant au seul visage la surface vouée à la stimulation érectile du passant, décisive pour l'établissement du bref contrat. L'une des commerçantes fit réfléchir Selmer mais il dut s'abstenir, justifiant sa retenue par un vague sentiment d'amertume anticipée, et, plus précisément, par l'extrême et d'ailleurs préoccupante modicité de ses moyens. Il fit le tour de la place Pigalle et redescendit la rue jusqu'à l'embranchement de la rue La Rochefoucauld au bas de laquelle, à gauche, se trouve le musée Gustave Moreau — où il entra.

On n'accédait pas directement au musée ; il fallait sonner pour qu'on vînt vous ouvrir. En entrant, Selmer eut l'impression de faire intrusion chez un particulier : il y avait des tapis, des objets en cuivre, des plantes vertes dans des pots ; le vendeur de billets avait des airs de concierge, et les rares gardiens semblaient autant d'intendants. Le musée occupait les quatre niveaux de l'immeuble, reliés entre eux par trois escaliers, les deux premiers à rampes alternatives et le troisième à vis.

Il tourna un moment dans la grande salle du deuxième étage, s'attardant notamment sur trois tableaux, le premier intitulé *Les muses quittent Apollon, leur père, pour aller éclairer le monde,* le second *Les chimères,* et le dernier *Les prétendants.* D'abord il s'intéressa au mode de fabrication de ces objets. On ne savait pas trop s'ils étaient achevés. Certaines zones de toile étaient recouvertes de strates superposées, chacune ne couvrant qu'en partie la strate au-dessous d'elle et laissant voir ou deviner, selon le désir de Gustave, les motifs qu'elle avait à charge de masquer et d'amplifier à la fois. Puis, rapidement lassé de ces considérations techniques, Selmer préféra imaginer quelque fil conducteur courant entre ces trois tableaux, comme s'ils formaient les divers épisodes d'un même récit, de la scène inaugurale des muses délaissant leur père jusqu'au massacre final des prétendants, en passant par les chimères, enjeu possible de l'affaire, ou prétexte à. Cela fait, il gravit, du deuxième au troisième étage, les degrés enroulés en spire autour de leur axe.

La première salle était vide. La seconde n'était occupée que par un seul individu, de taille anormalement haute, stationnant avec une immobilité remarquable devant l'un des tableaux, au fond, à droite. Théo Selmer s'approcha et à son tour considéra l'objet d'une telle attention. La toile figurait le supplice de Prométhée.

29

5

— Sur celle-ci, il est représenté de profil droit, torse
nu, adossé à un poteau, les mains derrière le dos et le
pied posé sur une sorte de borne. On distingue une
cicatrice sur son flanc droit, au niveau du foie. L'image
est très sombre, il doit faire nuit, on aperçoit d'ailleurs
un réverbère juste au-dessus de lui. Son visage est plutôt
allongé, avec des cheveux châtains, des yeux clairs, un
nez un peu busqué mais sans excès. Il regarde droit
devant lui, vers le haut. Ce qu'il regarde n'est pas dans
le champ de l'image.

— Ça suffira, dit Russel.

— C'était la dernière, dit Pradon, nous n'avons pas
d'autre photo de Caine.

— Ça ne me servira pas à grand-chose de toute façon,
dit Russel, mais on ne sait jamais. Parlez-moi un peu
de lui.

Pradon tira une fiche de sa poche.

— Nom Caine, lut-il, prénom Byron. Né en 1929
à Baltimore. Etudes à l'université de Chicago, où il rencontre puis épouse Kathleen Evans. En 1958, séjour de
quelques mois en clinique psychiatrique. Engagé en
février 1959 dans un laboratoire qui travaillait pour nous
en sous-traitance. Son travail est remarqué par Gibbons,
qui était à l'époque responsable de ce secteur, et il est

30

engagé dans une filiale de la firme en 1962. Travaille pour nous aux Etats-Unis jusqu'en 1970, date à laquelle il arrive à Paris pour continuer ses recherches ici. Vit séparé de sa femme. C'est tout.

Russel dit encore qu'on ne savait jamais. Haas dit à Pradon qu'il pouvait se retirer. Pradon ne dit rien et sortit.

— J'ai hésité, Russel, répéta Haas.

Russel avait retiré ses énormes lunettes et les nettoyait, les yeux clos, avec un grand mouchoir à carreaux blancs et bleus.

— Quoi de plus légitime ? éluda-t-il. Caine connaissait votre fille depuis longtemps ?

— Je ne sais pas, je n'avais rien remarqué. Rachel travaillait avec moi, ici, ils étaient amenés à se voir souvent.

— Quand sont-ils partis ?

— Il y a deux mois. Leur voyage devait durer une dizaine de jours. C'était une étude de terrain pour un projet d'implantation d'usine en Australie. Tout ce que j'ai reçu, c'est une carte postale de Rachel postée à Melbourne, il y avait un troupeau de kangourous sur la photo. Ensuite, plus rien. D'abord, je n'y ai pas pris garde, Rachel prolongeait fréquemment ses absences sans me prévenir. Mais on s'est aperçu récemment que Caine avait emporté avec lui des papiers très importants, dont il n'avait aucun besoin. Ce sont ces papiers qu'il faut récupérer, bien que je craigne qu'ils ne soient déjà passés chez un concurrent. Malheureusement, il sera nécessaire aussi de faire disparaître Caine, par les moyens que vous voudrez.

— Il n'en manque pas, dit Russel. Quelle est la nature de ces papiers ?

— Ils sont regroupés sous le nom de projet Prestidge, je ne peux pas vous en dire plus. Je vous demanderai de ne pas en parler, c'est extrêmement confidentiel.

— L'aveugle se doit d'être un peu muet, sentencia Russel.

Il remit ses lunettes et rouvrit les yeux derrière elles.

— Vous êtes vraiment complètement aveugle ? demanda prudemment Haas.

— Pas vraiment. Si cela peut vous rassurer, j'y vois un petit peu. Je distingue les taches, les lumières. Avec mes deux yeux réunis, je dois arriver à un demi-dixième. Ils me servent surtout à savoir s'il fait jour ou s'il fait nuit. Mais ça ne me gêne pas pour travailler.

— C'est surprenant.

— Moi-même, je ne me l'explique pas. Ce sont surtous mes autres sens qui travaillent, je crois. Ils se sont beaucoup développés. Je perçois tout ce qui se passe, mais par d'autres moyens, tout simplement. Ne vous approchez pas, s'il vous plaît, ajouta brusquement Russel en étendant devant lui sa main gauche.

— Mais je ne bouge pas, dit Haas.

Russel tâta un moment l'air avec ses doigts, puis retira sa main à contrecœur.

— J'avais cru percevoir une élévation de température de ce côté, expliqua-t-il. C'est comme ça que je repère les gens.

— C'est raté, dit Haas.

— Oh, mais ça rate souvent, dit Russel.

Il souleva le verre de sa montre et passa rapidement l'index sur les aiguilles.

— Je vais devoir partir. J'ai communiqué mes tarifs à votre secrétaire.

— C'est entendu, dit Haas.

Il ouvrit la bouche pour ajouter quelque chose, mais se ravisa et la referma sans rien émettre. Russel perçut le bruit de clapet et sourit.

— Ne me répétez pas encore une fois que vous avez hésité, dit-il en se levant. Je vous comprends. On hésiterait à moins.

6

— Forsythe jouait tous les soirs de la flûte, dit Paul,
de ces flûtes nasillardes comme en ont les charmeurs
de serpents. Au début, il jouait pour lui-même, il n'y
avait aucun serpent et il n'avait aucun public. Mais,
comme il avait remarqué que Mac Gregor détestait le
son de cet instrument, et comme il était, comment dire,
taquin, finalement Forsythe ne jouait plus que dans le
but d'irriter Mac Gregor.

Vera écoutait.

— Mac Gregor ressemblait, disons, à Gary Cooper,
et Forsythe plutôt à Franchot Tone. Un soir, pendant
que l'un irritait l'autre, surgit un vrai serpent.

C'était dans un bar-tabac de la porte de la Villette,
près du boulevard périphérique. La salle était saturée de
lumière jaune et d'objets jaunis par la lumière qui se
reflétaient dans les parois vitrées au travers desquelles
on apercevait l'entrée d'Aubervilliers. Dans un coin, seul
devant un guéridon, un monsieur âgé tapait discrètement
sur une petite machine à écrire portative en matière plastique grise ; il tapait lentement, en cherchant bien la
touche, en visant bien, comme un policier dans un com-
missariat.

— Mac Gregor vit tout de suite le serpent, mais il
ne dit rien. Le serpent, un cobra quelconque, attiré par
le son de la flûte, s'approchait de Forsythe qui jouait tran-

quillement sans s'apercevoir de rien. Lorsqu'il découvrit la présence du cobra, celui-ci était déjà trop près de lui pour qu'il puisse se lever et s'enfuir, et Mac Gregor commença à rigoler. Allez-y, dit-il, jouez, jouez, c'est dans votre intérêt. Et Forsythe dut se mettre à souffler tout ce qu'il savait pour tenter de charmer le serpent, et ça marchait, et l'horrible bête se mit à danser devant lui. Continuez, rigolait Mac Gregor de plus belle, soufflez, soufflez, c'est le moment ou jamais. Et l'autre transpirait terriblement, les joues gonflées, les yeux dans les yeux du reptile.

Un long comptoir de mosaïque polychrome, incurvé et comme mou, sans un angle, émergeait du carrelage comme une vague de la mer, sa crête rabotée et rivetée de cuivre, l'écume jaillissant des robinets à bière. Pour changer de métaphore en même temps que d'altitude, on pouvait aussi comparer ce comptoir à quelque grand massif rocheux, façon hercynien ou pliocène. Vera et Paul étaient assis à proximité du comptoir mou. La nuit tombait. Il était encore tôt. C'était l'hiver, toujours.

— Finalement, Mac Gregor prend pitié et tue le serpent, conclut Paul. Il lui tire dessus. Une seule balle suffit, bien sûr.

— Alors ? fit-elle.

— A suivre, dit-il.

Ils étaient face à face, coinçant entre eux une petite table carrée — impossible de fuir, pensait la table, ils me plaquent au sol avec leurs coudes. Ils parlaient. Leurs paroles se croisaient, leurs voix s'affrontaient, comme des gladiateurs, l'une armée d'un glaive et d'un casque, l'autre d'un bouclier et d'un filet. Principalement travaillaient leurs bouches et la plupart des muscles de leurs visages, les mains et avant-bras assurant la ponctuation, l'illustration, le commentaire. Le reste de leurs corps était au repos, à peu près immobile, s'ébrouant quelquefois comme un chien dans sa niche, croisant ou décroisant les jambes ; quelques démangeaisons de part et d'autre, une érection du côté de Paul ; sur la table, deux verres vides et deux verres pleins.

Ils parlaient. C'était comme une conversation au bord d'un gouffre, un entretien fragile de part et d'autre d'un précipice, et leurs paroles empruntaient de frêles passerelles, tendues entre eux d'un bord à l'autre de l'abîme, faites de lianes pourrissantes prêtes à céder à chaque instant ; et les mots avançaient un à un sur ce précaire échafaudage, parfois reliés les uns aux autres, comme des blocs de minerai encore englués dans leurs gangues et entassés dans les petits wagons qu'on utilise dans les mines, dans les carrières ; et chaque mot recelait ainsi un bloc de sens, à différents états d'usure, de fatigue ou de torsion. Parfois, un mot tombait au fond du précipice.

Paul avait trente-cinq ans, il portait un imperméable américain, des lunettes ; il était assez calme et assez grand, il vivait seul. Il avait convaincu Vera de le rencontrer une première fois, et puis une autre fois, et de nombreuses fois encore par la suite. Il s'obstinait. Il avait entrepris de la séduire. Ça n'était pas plus compliqué.

— Vous avez une cigarette ?

— Des brunes, dit Paul en se fouillant.

— Non, dit Vera, une blonde. Trop de mots et pas assez de cigarettes blondes, hélas. Hélas.

Il alla en chercher au comptoir. Filtre ? demanda la débitante. Sans, répondit Paul. Il revint s'asseoir.

— Si j'étais musicien, entama-t-il.

Il défit l'emballage de cellophane et de papier d'argent, tira au tiers un des cylindres, le tendit à Vera et l'alluma. S'il était musicien, il pourrait dire que certains jours, dès le matin, il ne retrouvait plus ses partitions, alors que d'autres jours c'était son instrument qu'on lui avait volé. Mais voilà, il n'était pas musicien.

— Et pourtant, dit-il, c'est tout à fait comme ça que ça se passe.

Un client mit le juke-box en marche.

— Vous aimez la musique, supposa Paul.

— Pas tellement, dit Vera, ça ne va jamais assez vite, ça laisse toujours trop de temps. Ça n'empêche pas de penser à autre chose.

— Certes, certes, dit Paul, mais. Etc. Etc.

Et ainsi ils parlèrent, chacun à leur tour, pendant des heures. A la fin on ne savait plus, eux-mêmes ne savaient plus s'ils parlaient ensemble ou bien chacun de son côté, s'ils s'amalgamaient l'un à l'autre dans une parole unique, fusionnelle, ou s'ils s'y affrontaient encore, comme ils affrontaient chaque jour chacun solitairement le reste du monde, ce qui ne se rend pas aux mots, contraints qu'ils étaient de sans cesse improviser cet assaut, avec des moyens peu sûrs, des armes de fortune, des outils sans noms, des objets qui les accompagnaient parce qu'un jour, quelque part, ils les avaient trouvés utiles et les avaient gardés avec eux, pas trop loin, à portée de la main, ou même sur eux, dans les poches de leurs vêtements, s'il y restait encore de la place.

7

L'architecture du palais regroupait un échantillonnage varié de styles et de matériaux. D'abord, le palais n'avait rien d'un palais. Il devait cette appellation à ceci qu'étant l'unique édifice habitable, solide, et situé un peu en retrait vers l'intérieur des terres, son occupation conférait un semblant de statut seigneurial à chacun de ses hôtes successifs. Il se dressait à l'est de l'île, également dotée sur son pourtour, aux trois autres points cardinaux, de petites constructions d'allure militaire, sortes de blockhaus étriqués, sommaires, bourrés de graffiti polyglottes et d'excréments secs.

Le palais reposait sur des fondations de béton, coulées sur l'emplacement de ruines indatables. Le béton s'élevait d'abord régulièrement sur quatre murs, signe qu'on avait entrepris la construction avec sérieux, initialement du moins, car les parois semblaient de plus en plus bâclées au fil de leur ascension, se dégradaient de plus en plus ouvertement, et avortaient brusquement sur un profil irrégulier, comme freinées dans leur élan vertical, à la hauteur approximative d'un étage. On avait consolidé cette infrastructure avec des briques, et, sur des troncs à peine équarris faisant office de poutres, avait été posé un toit en plaques de tôle. L'ensemble ne manquait pas de failles, ni de crevasses, ni de toutes espèces de trous que l'on avait comblés avec des planches et des plaques d'aluminium, et qui donnaient au bâtiment une allure oxydée, hétéroclite et mal-aimée.

Au centre du rez-de-chaussée, espace obscur et sans fenêtre où l'on accédait de plain-pied, s'élevait un début d'escalier, avorté lui aussi au bout de douze marches. Le plafond était décoré de moulures incongrues et dégradées dont le plâtre se fendait et se corrompait jaunement. En regard de ce plafond, un sol de terre battue laissait croître au milieu des gravats des végétaux médiocres, dont un petit palmier au tronc maculé de cambouis.

Pour accéder à l'étage, il fallait grimper le long d'une échelle exotique, faite de rondins assemblés par des cordes, et qui grinçait. L'étage s'étendait sur une pièce unique, garnie de meubles, malles et objets en grand nombre, inégalement moisis, parmi quoi une foule de ventilateurs hors d'usage. Dans les encadrements des petites fenêtres, aux vitres cassées pour la plupart, on avait tendu d'épaisses feuilles de matière plastique translucide ; au travers d'une grande plaque de mica faisant baie, on apercevait l'image floue et déformée de la mer, à quelques centaines de mètres, comme sur un écran de cinémascope.

Parmi les meubles, bon nombre de tables supportaient les objets les plus élémentaires : papiers, habits, brosses, bouteilles, lampes. La surface de la plus grande table était presque entièrement occupée par un puzzle inachevé, représentant la *Visite d'une galerie,* de Van Haecht, par fragments. Byron Caine complétait une des rosaces du plafond de la galerie lorsque l'échelle grinça sous le poids de Joseph.

Joseph était haut, large, épais. Sa moustache était grosse et grise, son torse rural, ses cheveux coupés courts et pliés en arrière. Il ressemblait à Staline ; cela tombait donc bien qu'il s'appelât Joseph ; mais peut-être n'était-ce pas son vrai nom.

— Carrier a appelé ce matin.

Byron Caine ne répondit pas. Il retournait dans tous les sens une pièce orange et grise qu'il promenait à toute vitesse sur la surface du puzzle, à la recherche de la découpe idoine.

— Ils ont engagé quelqu'un, ajouta Joseph.

— Qui ont-ils trouvé ? demanda Caine sans lever l'œil. Les manteaux verts habituels ou un extra de chez Pinkerton ?

Il parlait doucement, méthodiquement, mais avec une tension très discrète dans la voix, une tension masquée, comme enfermée à l'intérieur de cette voix et très difficile à distinguer, bien qu'on n'entendît plus qu'elle une fois qu'on l'avait découverte. Il avait aussi des intonations curieuses, comme si, ayant perdu dans un premier temps toute trace d'accent américain, il avait tenté plus tard d'en récupérer quelques traits, n'en avait plus trouvé aucun et s'était forgé un nouvel accent, de bric et de broc, qui n'avait plus rien à voir avec l'ancien ni avec aucun autre — un accent littéraire. Outre ces particularités phonatoires, lui-même avait l'air patient, distrait, un peu désœuvré, et il semblait compter sur sa distraction et sa patience pour tromper le désœuvrement. Il portait toujours les mêmes vêtements de toile bleue, une veste en provenance de Shangaï et un pantalon tissé à Macao. Il se tourna vers Joseph qui tardait à répondre.

— Un aveugle, dit Joseph.

Caine suspendit un instant le vol de la pièce au-dessus du puzzle.

— Un aveugle, répéta-t-il sur un ton presque déférent. Tiens. Un tueur aveugle. L'amour est un tueur aveugle, il n'y avait pas une chanson qui s'appelait comme ça ?

— Je ne sais pas, dit Joseph, je ne me souviens pas.

— Mais dites-moi, fit Caine insouciamment, est-ce bien raisonnable d'engager un aveugle pour retrouver quelqu'un ?

— C'est Russel, indiqua Joseph.

— Je ne connais pas. Un de vos amis ?

— Vous ne connaissez rien, répliqua Joseph.

— C'est vrai, dupliqua Caine, je sais tout et je ne connais rien.

Un troisième homme apparut au sommet de l'échelle et se fraya un chemin parmi les détritus.

— C'est l'heure, annonça-t-il.

Il avait comme eux autour de cinquante ans. Il était assez long et aigu, avec un regard fatigué. Il portait un costume vert véronèse sur une chemise vert véronèse, avec des chaussures jaunes. Il s'appelait Tristano. Il passa devant eux, écarta quelques ventilateurs et atteignit une montagne d'encombrement protégée par une lourde bâche qu'il tira d'un coup sec, dénudant un poste émetteur-récepteur énorme et chromé, d'une modernité luisante et mal à l'aise dans ce décor de débris.

— C'est l'heure, vous pouvez me régler ça ?

Byron Caine quitta son puzzle et s'installa devant l'appareil dont il pressa les boutons, poussa les curseurs, régla les potentiomètres et vérifia les cadrans. Il se promena parmi les fréquences, dévidant doucement le ruban sinueux et accidenté des longueurs d'ondes. Il y eut des craquements et des vibrations de tonalités diverses, des grésillements suraigus, des gargouillis syncopés, des bribes d'hymnes nationaux et de messages en morse, des fragments, bouts, morceaux, d'anglais, de japonais, d'arabe, des effluves de musique informe, des infra et ultrasons ; parfois on entendait s'interpeller des voix indistinctes qui semblaient se trouver très loin, et très éloignées les unes des autres, des silhouettes sonores.

— C'est prêt, dit Caine en isolant une voix solitaire, sèche et bourdonnante comme un produit de synthèse, égrenant mécaniquement un compte à rebours.

— Quatre-vingt-seize, fit l'organe synthétique, quatre-vingt-quinze.

— Des nouvelles de Gutman ? demanda Tristano.

— Toujours à Brisbane, dit Joseph. Il recrute du monde. Arbogast dit qu'ils vont peut-être se rapprocher. Ils pourraient s'installer dans les îles Phenix ou dans les Marshall.

— Ils ne vont quand même pas lever une armée, intervint Caine.

— S'ils se décident, ils n'auront pas besoin d'une armée, dit Joseph.

— Soixante-douze, dit la voix.

— Ils ont peur, dit Tristano. Ils ne savent pas où nous en sommes. Ils attendent de voir. Tant qu'ils croiront que le projet Prestidge est terminé, ils ne bougeront pas. S'ils savaient que tout n'est pas fini, ils seraient là dans une heure.

— Ça ne peut pas durer, dit Joseph. S'ils attendent trop longtemps, ils vont finir par comprendre qu'il n'y a rien à craindre. Ils vont débarquer ici un beau matin.

Tristano se pressa le lobe et parut penser.

— Arbogast n'avait pas parlé d'un dépôt d'armes ?

— Impossible, dit Joseph, tout a déjà été fouillé, et l'île n'est pas bien grande. Il cherche encore, mais ça ne donnera rien.

— Quel dépôt d'armes ? demanda Caine.

Tristano se tourna vers lui sans répondre.

— Trente-trois, dit la voix.

— Où en êtes-vous ?

— Ça avance, vous savez ce que c'est, dit Caine.

— Non, dit Tristano, je ne sais pas.

— Ça ne va pas toujours comme on voudrait.

Ils se turent un moment. Tristano haussa le son et s'approcha du micro.

— Faites vite.

— Seize, dit la voix.

— Je fais mon possible, dit Caine.

— Tout dépend de vous, maintenant.

— Je sais.

41

— Quatre, dit la voix.

Tristano posa sur ses lèvres son doigt.

— Zéro, dit la voix. Xerox.

— Xerox, dit Tristano.

Il y eut un léger brouillage et quelques craquements firent frémir la membrane des haut-parleurs, puis une autre voix reprit, aussi synthétique que la première mais différente, paraissant fabriquée par une autre machine.

— Alsthom Harmony Pennaroya, dit-elle. Ferodo Pennaroya.

Tristano fit une grimace.

— Bic Pennaroya, répondit-il, Alsthom Bic Harmony. Ferodo Petrofina.

A l'autre bout, la voix se fit insistante.

— Harmony Pennaroya, scanda-t-elle. Bic Petrofina, Harmony Ferodo, Xerox.

— Xerox, dit Tristano.

Il éteignit l'appareil.

— Ils ne sont pas contents, décoda-t-il, ils croyaient que tout était réglé. Quand pensez-vous avoir fini ?

— Il ne fait rien de la journée, s'indigna brusquement Joseph, il s'en fout. Il passe son temps à faire son puzzle. On lui parle de Russel et il s'en fout. Il se fout de tout.

— Il faut du temps, protesta mollement l'inventeur, certaines réactions lentes ont un cycle assez long. Et puis le dernier essai a vidé les batteries du système périphérique, il faut attendre qu'elles se rechargent. Je n'ai pas tout le matériel qu'il me faudrait.

— C'est votre affaire, dit Tristano, faites vite. Dès que vous êtes prêt, nous n'avons plus rien à craindre du côté de Gutman. Et pour Russel, ne vous inquiétez pas, Carrier va nous envoyer du monde. Tout ira bien. On n'attend plus que vous.

— Mais je ne m'inquiète pas, je ne m'inquiète pas, dit Caine avec assez de gravité pour laisser supposer qu'il s'inquiétait quand même un tout petit peu.

La vérité est qu'il ne s'inquiétait pas ; il venait de découvrir une pièce-clef, qui lui permettait d'achever le candélabre de cuivre rouge qui pendait au plafond de la galerie ; il jubilait.

8

René Carrier était un homme au visage triste et au
cuir chevelu déserté ; son corps était ovale et court. Il
parcourait d'un œil peu vif le chapitre V d'un ouvrage
de sociologie de Georg Simmel, dans l'édition originale
de 1908 chez Duncker et Humblot. Comme il possédait
mal la langue allemande, son regard s'attardait parfois
sur un mot inconnu et s'animait alors d'un éclat particulier, signe d'effort intellectuel, comme s'il poussait
intérieurement un gros caillou placé sur son passage.

Lorsqu'on sonna à sa porte, René Carrier ferma le livre
sur son doigt, baissa la radio, s'extirpa de son fauteuil
et traversa l'appartement. Il ouvrit la porte et se trouva
face à Théo Selmer.

Théo Selmer, quant à lui, avait fait montre dès son
plus jeune âge d'un goût prononcé pour les langues
étrangères. Persistant dans cette voie, il se retrouva à
l'état adulte interprète à l'ONU, où, installé dans un
petit box, il traduisait aux autres ce que disaient les uns.
Il était muni pour cela d'un micro, d'un bloc-notes et
d'un casque équipé d'écouteurs.

A New York, Selmer avait une vie calme ; il ne
connaissait pas grand monde, sortait peu. De temps en
temps il allait passer quelques heures chez Berkowitz,
une salle de tir au pistolet aménagée dans un ancien
parking souterrain. Là aussi, un box lui était réservé ;
c'était un espace étroit, tout en longueur, comme un

couloir fermé, au fond duquel se dressait une cible anthropomorphe en bois découpé, avec un point rouge à l'emplacement du cœur. Dans chaque box il y avait un porte-manteau, un petit placard et un tabouret haut. Il y avait aussi un casque muni de sortes d'étouffeurs que les tireurs plaquaient sur leurs oreilles pour éviter d'être assourdis. Selmer ne mettait jamais le sien.

Les habitués de la salle louaient sur place leurs armes, que leur apportaient de gros garçons paisibles vêtus de chemises synthétiques, jaunes et flottantes, au dos desquelles était brodée en noir la mention *Berkowitz* dans une typographie coca-colesque. C'étaient eux qui s'occupaient aussi d'alimenter les tireurs en munitions, de réparer les armes enrayées avec des gestes lents, de remplacer les cibles déchiquetées, de surveiller les placards où certains dissimulaient du gin, et d'évacuer les clients enivrés à qui parfois venait l'idée de tirer dans tous les sens en fin de soirée.

Théo Selmer ne louait pas son arme. Il possédait un pistolet automatique Llama, modèle Standard, et un revolver Rossi nickelé, assez léger. Bien que n'ayant pas de permis de port d'armes, il transportait parfois l'un ou l'autre de ces objets dans une poche intérieure de sa veste qu'il avait consolidée avec du fil de nylon. En principe, Berkowitz interdisait qu'on apportât son arme personnelle ; la chose était mentionnée en petites lettres dans le règlement affiché derrière la porte de chaque box. Mais Selmer connaissait bien Berkowitz. Celui-ci recevait plus ou moins régulièrement des journaux en caractères cyrilliques imprimés sur un papier gris de mauvaise qualité, que lui faisaient parvenir des organisations de réfugiés. Comme il avait perdu la plus grande partie de sa langue natale, Selmer l'aidait à traduire des nouvelles d'un pays dont Berkowitz ne conservait qu'une demi-douzaine de souvenirs arbitraires, en noir et blanc.

Le reste de son temps, Selmer le passait soit chez lui,

allongé sur son lit à étudier quelque nouvel idiome, soit dehors, quelquefois dans un bar ou dans un cinéma. Tout cela durait depuis quatre ans ; il en avait trente-deux ; il sentait l'ennui qui le gagnait.

A l'issue du quatrième hiver qu'il passa à New York, il commença à se sentir vaguement excédé, facilement irritable, aisément haineux. Il observa que depuis peu il ne ratait jamais sa cible à la salle de tir, ce qui n'alla pas sans l'intriguer, car il se tenait pour un tireur moyen, en deçà de telles performances. Habitué qu'il était à traduire toutes sortes de signes, il interpréta celui-ci dans un sens vaguement inquiétant, quoique encore bien flou.

Le dernier matin qu'il prit son travail, Selmer entra dans son box, posa devant lui un hot-dog emballé dans un petit sac en papier, coiffa ses écouteurs et emboucha son microphone ; puis il traduisit.

Discourut d'abord un représentant de la République sud-africaine dont Selmer contempla le visage sur l'écran de télévision intérieure, non sans un malaise ; c'était un pantin livide aux dents mal plantées ; il parlait de l'apartheid et expliquait que, de son point de vue, ça n'était pas mal. Lui succéda un représentant suédois et chauve, qui considérait, lui, que ça n'était pas si bien que ça. Selmer entreprit de traduire comme il en avait l'habitude, laissant les mots entrer par ses oreilles et ressortir transposés par sa bouche, en assurant un minimum de distorsion et de faux sens, mécaniquement, comme on surveille un moteur. Il suivit le débat avec une sorte d'ennui anxieux, comme s'il regardait deux champions de ping-pong de force égale, s'affrontant dans un combat sans fin.

Puis, sans qu'il sût très bien comment ni pourquoi, brusquement, il cessa ; arrêta de traduire, de travailler, de fonctionner ; se mit en grève ; allongea la main et sortit le hot-dog de son sachet.

Il n'avait pas quitté ses écouteurs ni son micro ; il mangeait. Dans la salle de conférences, les francophones à qui s'adressait sa traduction s'inquiétaient déjà sans doute de l'interruption : ne leur parvenaient plus que les bruits amplifiés d'une manducation placide. Selmer les imagina qui devaient commencer à se retourner, à se faire entre eux des signes, à interpeller les huissiers en pointant un index perplexe sur les petits écouteurs plantés dans leurs oreilles.

Le hot-dog achevé, Selmer se lécha les doigts. Puis il prit le petit sac en papier, le gonfla d'air et en tordit l'extrémité ; il le plaça tout contre le micro, ferma les yeux, prit une profonde inspiration et, d'un geste définitif, fit exploser l'emballage. Dans la salle, les francophones tressautèrent, entonnant un bref accord de cris douloureux et portant vivement leurs mains vers leurs oreilles en grimaçant affreusement et simultanément. Selmer se leva et se défit de son harnais. Lorsque le chef-interprète, hagard, fit irruption dans le box, il l'avait déjà quitté ; ne restaient de lui que des miettes, avec des traces de moutarde.

Il passa l'après-midi chez Berkowitz à transpercer le cœur des cibles, grisé par les détonations du Rossi qui se réverbéraient interminablement dans l'espace au plafond bas et aux parois de béton brut. Puis il rentra chez lui prendre une douche.

Le lendemain, il rédigea sa lettre de démission, solda son compte en banque, le convertit en chèques de voyage et transporta son passeport dans différentes ambassades. Une semaine plus tard, il embarquait dans un gros autocar à destination de la frontière mexicaine.

Théo Selmer passa les mois qui suivirent à se mouvoir en zigzag à travers l'Amérique du Sud, accompagné d'une lourde malle pleine de dictionnaires ; certains, évidés, contenaient ses armes, si bien qu'il ne savait jamais, lorsqu'il en ouvrait un, s'il allait y trouver un Rossi, un Llama, ou un mot.

Tout son argent épuisé, il chercha des travaux de

traduction. On lui confia des romans, des ouvrages scientifiques ; mais bientôt, saisi par une sorte d'impatience perpétuelle, il lui devint impossible de demeurer plus de quinze jours dans une même ville et n'accepta plus que des traductions d'articles, puis de prospectus, qu'il menait à leur terme de moins en moins souvent.

Un jour qu'il montait dans un nouvel autocar fraîchement repeint de rose très vif, entre Quito et Bogota, il aperçut parmi les passagers trois visages qu'il connaissait, sans qu'il parvînt à se rappeler où et quand il les avait vus. Les trois hommes ne paraissant pas lui prêter attention, il s'assit près d'eux et écouta ce qu'ils disaient. Il lui fallut peu de temps pour les identifier ; c'étaient des fonctionnaires américains qu'il lui était arrivé de croiser dans les couloirs de l'ONU, vagues conseillers techniques qui, comme lui, sillonnaient l'Amérique latine, mais sans doute animés de desseins plus précis que les siens. La découverte de leur identité provoqua chez Selmer une nausée, violente mais vite réprimée, et quand, par association naturelle, le pantin sud-africain et le Suédois chauve se furent encadrés à deux fenêtres de sa mémoire, son corps s'anima curieusement d'un grand émoi haineux qu'il tenta en vain de refouler, durant cent quatre-vingts kilomètres.

Le soir, l'autocar se gara devant un motel, aux environs d'une ville nommée Popayàn. Après le dîner, Selmer monta dans sa chambre et chercha dans sa malle le tome I d'un vieux Sachs-Villatte contenant le Llama Standard enveloppé dans un chiffon. Il démonta l'arme, la nettoya soigneusement à l'aide d'un mélange de vaseline et d'essence, la remonta et passa un moment à feuilleter le tome II.

Le lendemain matin, deux des trois Américains furent trouvés morts dans leurs lits. Il n'y avait pas de désordre dans les chambres ; Selmer les avait tués très vite, d'une balle dans le front, après les avoir éveillés d'une gifle. Le départ de l'autocar fut retardé à cause de l'enquête ; des policiers locaux débarquèrent, flanqués d'interprètes approximatifs et hâves, qui semblaient avoir faim. Ce fut un parfait désordre ; il y avait des touristes, des familles nombreuses, des délateurs potentiels, des gens pressés qui protestèrent vivement ; des gens troubles protestaient aussi, mais différemment. Tout ce monde parlait en même temps dans un inextricable conglomérat d'anglais, d'espagnol, d'allemand, de portugais ; personne ne comprenait rien, Selmer comprenait tout. On l'interrogea à son tour, ce fut très rapide, et l'autocar rose repartit en début de soirée dans la lumière orange d'un superbe soleil déclinant, après qu'on eut appréhendé une repasseuse et un liftier qui vivaient en concubinage. Selmer s'assit à côté de l'Américain restant.

Il n'eut pas de difficultés à engager la conversation. L'Américain s'appelait Elvin Viceroy. Il n'avait pas l'air ému, à peine un peu rêveur. Ils parlèrent de tout et de rien, sans la moindre allusion aux deux meurtres de la nuit passée. Ils découvrirent qu'ils allaient tout deux à Bogota ; sympathisèrent ; proposèrent de ne plus se quitter jusque-là. Deux jours plus tard, l'autocar s'arrêta au milieu du parking d'un grand hôtel dans la banlieue de Bogota, et Elvin Viceroy mourut très simplement dans son lit le soir même, à l'instar de ses confrères.

Cette fois, Selmer n'eut pas envie d'attendre la police. Il quitta l'hôtel juste après son crime et prit un taxi jusqu'à l'aéroport de Bogota. Il passa le reste de la nuit dans le hall, enseveli dans un fauteuil très mou, en attendant l'ouverture des guichets. En début d'après-midi, il s'envola dans un 747 de la compagnie Avianca ; après deux escales à Caracas et Fort-de-France, l'avion se posa à Roissy le lendemain matin. Quarante minutes plus tard, Théo Selmer était à Paris. Il prit une chambre dans un hôtel près de la gare de l'Est, y déposa sa malle et sortit faire un tour.

Il s'ennuya vite à Paris. Il n'y connaissait plus personne, il n'avait plus beaucoup d'argent, et puis il faisait froid. Il passait pourtant la plus grande partie de son temps dans les rues, ne rentrant à l'hôtel que le soir pour dormir, et le quittant tôt le matin. Comme à New York, il visitait des musées, allait au cinéma, toujours seul. C'était un homme tout à fait seul, comme il arrive qu'on en rencontre quelquefois.

Un après-midi, au musée Gustave Moreau, il demeura un long moment devant le supplice de Prométhée. Celui-ci était représenté adossé au rocher caucasien, les pieds entravés par des chaînes et les mains liées dans le dos. Au-dessus de sa tête, une langue de feu ; derrière lui, une maigre colone ionique, au chapiteau orné de deux volutes latérales ; devant lui, l'abîme vide et peint en bleu. Le titan considérait assez sereinement le ciel, sans douleur apparente, bien qu'un vautour lui rongeât les viscères ; un second oiseau gisait à ses pieds inexplicablement, mort peut-être, ou repu, gavé du foie prométhéen.

A côté de Selmer, un homme immense au corps couvert de flanelle grise examinait le haut de la toile, sans porter un regard sur le motif central ; ses yeux étaient empreints d'une telle attention qu'on pouvait imaginer qu'il avait décidé de n'accorder son attention qu'aux objets situés à leur hauteur, ou bien que, voulant tirer parti de sa taille inhabituelle, il s'était consacré à l'étude des parties supérieures de tableaux.

Au reste, cet homme avait un visage rectangulaire et pâle. Le sommet de son crâne, extraordinairement éloigné du sol, supportait une inaccessible couche de cheveux blancs qui prenaient des allures de neiges éternelles. Son regard circulait lentement, minutieusement, sur le quart supérieur de l'ouvrage, avec une application têtue.

La singularité du géant inspira à Selmer une curiosité. Inclinant un peu la tête vers l'arrière, il expédia vers les cîmes une question concernant ce vautour qui ne rongeait rien. Pourquoi était-il là ? A quoi servait-il ? Qui était ce vautour ? Il s'écoula du temps avant qu'une réponse retombât.

— Je ne sais pas, fit à voix basse l'homme grand, comme s'il parlait pour lui seul et sans même un regard sur l'oiseau.

Selmer insista. Et le ciel ? Après tout, si ce voisin mutique ne s'intéressait qu'aux hauteurs de la toile, on pouvait aussi le supposer expert en ciels, et en ciels exclusivement. Qu'en était-il plus particulièrement de ce ciel-ci ?

L'autre abattit sa tête sur sa poitrine pour examiner Selmer. De face, sa tête semblait plus rectangulaire encore ; ses yeux étaient d'un ton beige un peu terreux, comme certains chiens.

— Je n'y connais pas grand-chose, dit-il.

A cet aveu succéda une pause.

— Je passais, simplement, reprit le géant. Je suis entré, comment dire, par désœuvrement.

Il scrutait maintenant le visage de Théo exactement comme il scrutait le ciel peint quelques instants plus tôt, avec la même expression d'attention appliquée, de concentration obstinée, presque laborieuse. Cela pouvait être son regard naturel, quotidien, toujours en quête d'un objet à scruter et capable de s'installer pendant des heures, dès l'objet trouvé, dans sa contemplation insistante, silencieuse, adhésive, comme si ses yeux, une fois fixés sur quelque chose ou sur quelqu'un, éprouvaient d'énormes difficultés à s'en détacher.

— Moi aussi, dit Selmer, par hasard, presque par hasard.

Le sourire du géant déforma légèrement son rectangle facial, qu'il fit descendre au niveau du visage de Selmer en dépliant son pouce en direction de la sortie.

Au bar, il se présenta. Il s'appelait Lafont et mesurait deux mètres deux. Ils commandèrent deux cognacs, après quoi Lafont demanda à Selmer ce qu'il faisait dans la vie, à quoi Selmer répondit qu'il était traducteur sans travail. L'autre lui demanda combien de langues il connaissait.

— Quinze, arrondit Selmer.

— Polyglotte, chuchota le géant avec un sourire de connivence clandestine, comme si Selmer venait de lui avouer quelque perversion.

La consonance particulière de ce mot semblait évoquer dans son esprit une signification analogue à celle d'autres termes, comme pédophile ou coprophage. Quant à lui, que faisait-il ?

— Les affaires, dit-il en donnant une impulsion à son long bras qui balaya l'espace au-dessus de la table.

— Les affaires, répéta Selmer comme s'il n'avait pas compris.

— L'argent, dit Lafont. Acheter, vendre. Vous voyez.

— Oui, dit Selmer, je vois.

Mais cela lui parut un mensonge. Un écart trop immense éloignait l'apathie contemplative de Lafont de ce que Selmer imaginait du monde des affaires : une sphère rapide et violente, nerveuse et bavarde, où les géants figés n'ont pas leur place. Et puis la réponse péchait par son côté conventionnel, par une sorte d'absence excessive d'inattendu. Peut-être aussi Selmer avait-il eu d'emblée la conviction que Lafont ne pourrait lui fournir qu'une réponse vague, et sans doute fausse. Il ne lui en voulut pas d'avoir menti, d'ailleurs il attendait un peu de lui qu'il mente, et peut-être qu'après tout Lafont ne mentait pas. Ils burent chacun la moitié de leur verre.

— Vous n'avez pas besoin de quelqu'un, dans vos affaires ? demanda Théo.

Lafont lui lança un regard étonnamment vif, puis se mit à nouveau à scruter un point, quelque part sur la table, gardant son verre collé contre ses lèvres ; il marmonnait doucement dans son cognac, comme s'il parlait dans un micro.

— Je ne sais pas, ajouta Théo, on ne sait jamais.

Le géant vida son verre et le posa, et tira de sa poche un petit agenda à couverture de skaï noir dont il arracha une page. Puis il se mit à écrire, ce qui ne se bornait pas chez lui à un simple mouvement combiné de la main et du poignet ; l'acte animait son avant-bras, faisait battre son bras et s'amplifiait au niveau des épaules qui se mettaient alors en mouvement, secouées comme de grosses branches par vent fort, et c'était enfin son buste entier qui balançait chaotiquement, ses pieds cognant le sol sous eux, l'ensemble paraissant comme un séisme humain. Au point d'aboutissement du phénomène, l'extrémité manuelle de ce corps immense, tout entier remué d'amples et lourdes secousses, produisait pourtant une écriture précise, rapide, calme et minuscule.

Il souffla sur l'encre, plia la feuille en quatre et la fit glisser sur la table vers Selmer.

— On ne sait jamais, répéta-t-il. Il faut que je vous quitte.

Il se fouilla, se leva, paya, salua et sortit du bar, non sans incliner prudemment la tête en franchissant la porte. Selmer le regarda s'éloigner à travers les vitres. Puis il considéra le papier posé près de son verre. Avant de le déplier, il commanda un thé nature.

Le lendemain était un samedi. Le froid avait une apparence grise, humide et terne. A quatre heures de l'après-midi, un gros livre sous le bras, Théo Selmer se trouva devant la porte d'un immeuble lézardé, isolé au fond d'un terrain vague, près d'une usine désaffectée, un peu après la sortie de Nanterre. L'immeuble datait d'autour de 1900, paraissait inhabité, au seuil de la ruine, et voué à une démolition imminente. On avait déjà comblé les fenêtres des premiers étages avec des briques engluées de ciment encore frais.

Les alentours étaient déserts. Selmer relut la feuille d'agenda, revérifia l'heure et l'adresse, puis il entra dans la cour intérieure. Il trouva sans difficulté l'escalier B, monta quatre étages et sonna à la porte de droite ; contre toute attente, la sonnette fonctionnait. La porte mit du temps à s'entrouvrir pour laisser apparaître un visage d'homme, austère et sexagénaire.

— On m'a fixé un rendez-vous, dit Selmer, je crois que c'est ici.

— C'est ici, dit une voix austère sortant du visage austère. Entrez.

Il entra et marcha à la suite de l'austère, qui était monté sur un corps assez petit, plutôt épais. Lui aussi portait un livre à la main, un index enfoncé dans les pages. Ils suivirent un couloir étroit, tapissé de vieux papier jaune, et contre les plinthes duquel s'amassaient des flocons de poussière. Au bout du couloir était une pièce carrée et chauffée. De la musique suintait faiblement d'un gros poste de radio posé par terre. Selmer tendit l'oreille, reconnut du piano, n'osa pas hausser le volume ni prier son hôte de le faire ; il pensa que ce n'était pas le moment. L'autre lui désigna un canapé.

— Je m'appelle Carrier, dit-il. Asseyez-vous, Lafont ne va pas tarder.

9

Le téléphone grésilla sur le long comptoir mou, qui parut un instant se raidir sous la stridence. La femme du cafetier, dont on n'apercevait ordinairement que le buste encadré de chewing-gums et de briquets sur fond de paquets de tabac empilés, se leva et contourna le tourniquet de cartes postales, longea les buveurs alignés, agrippa le combiné.

— Deux cent trois vingt-sept vingt, psalmodia-t-elle.

Elle mit un moment avant de dire autre chose ; quelqu'un lui parlait longuement. Il y avait douze clients dans le bar, quatre au comptoir, huit dans la salle, cinq femmes, sept hommes. Elle examina l'un après l'autre les consommateurs mâles et son regard s'arrêta sur Paul.

— Je vais voir, je crois qu'il est là.

— Merde, exprima Paul.

— C'est pour vous, souffla bruyamment la cafetière en dégageant son menton du combiné, couvrant de sa main les trous percés dans l'appareil.

Il hocha la tête.

— Il est là, annonça-t-elle en découvrant les trous.

Paul se leva et s'approcha du comptoir.

— Prenez-le dans la cabine, chuchota-t-elle en recouvrant à nouveau les trous.

Il bifurqua dans le sens de la flèche accolée à la mention Toilettes-Téléphone.

55

— Ne quittez pas, conseilla-t-elle aux trous.

Paul entra dans la cabine et décrocha à son tour.

— Oui, fit-il. Oui.

Le premier oui était très lent, le second moins ; il dit encore plusieurs oui, tenta d'ajouter quelque chose à l'un d'eux mais cela parut impossible et à la place il dit non mais. Il y eut des non, des si, des peut-être, articulés sur un ton impatient ou abattu, puis il dit qu'il ne savait pas, émit encore un dernier lot de oui et raccrocha.

Grise mine, il passa dans le double urinoir qui jouxtait la cabine. Le sol était humide, un peu collant ; cela puait ; un pisseur s'affairait. Paul prit la place libre et se positionna, écoutant pisser son voisin. On peut aussi diviser les hommes en deux catégories, pensa-t-il, ceux qui pissent obliquement sur les flancs de l'urinoir et ceux qui visent droit au trou, insoucieux du bruyant clapotis qu'ils occasionnent. Cette deuxième sorte devait être la plus nombreuse. Paul appartenait à la première, celle des pisseurs de biais. Le voisin s'en fut. Paul acheva, s'ébroua et regagna la salle.

— On n'est jamais tranquille, se plaignit-il, je vais changer de bar.

— Qui était-ce ?

— Un ami.

Vera eut un large et sceptique sourire.

— D'accord. Ce n'était pas un ami.

— Tu racontes toujours des mensonges, dit-elle.

Tiens, ils se tutoyaient, maintenant.

— Oui, dit Paul, j'aime ça.

Ils reprirent leur conversation interrompue. Vera décrivait une cérémonie du rite syriaque à laquelle elle avait assisté quelques jours avant, dans une église de la rue des Carmes. Elle était assidue aux spectacles religieux et courait les mosquées, synagogues, cathédrales et autres temples, comme d'autres les magasins. Comme on peut s'étourdir d'un spectacle de cirque, elle se grisait de cérémonies, quelle qu'en fût la religion de référence ; ce dernier point importait peu. En revanche, elle n'aimait pas le théâtre, lui préférait n'importe quel culte, trouvant à ce dernier un côté doré sur tranche que le théâtre était impuissant à rendre. Par ailleurs, le culte étant dépourvu de toute suite narrative, il n'avait ni commencement ni fin, ce qui permettait d'y entrer et d'en sortir quand on voulait puisque de surcroît il était gratuit d'accès. Bref, autant de qualités ; presque toutes.

Paul donnait des signes de distraction. Il regardait derrière lui, jouait avec la cendre de sa cigarette, ou bien embroussaillait ses sourcils pour les lisser ensuite, d'un double mouvement symétrique du pouce et du majeur droits. Vera décrivait, décrivait, abondait en détails. Paul mit ensemble trois ou quatre détails et construisit une image avec eux ; puis, retenant de son discours les seuls détails qui s'accordaient à cette image, rejetant les autres qui étaient la majorité, il obtint une forme mobile, un peu floue, nuageuse, et bercée par la voix de Vera.

— Tu ne m'écoutes pas.

— Comment ? s'indigna-t-il.

Elle poursuivit, méfiante. Paul considérait le sol du bar. Le motif du carrelage était constitué d'alignements de cubes semblant dressés sur un angle, en noir, blanc, et trompe-l'œil. L'effet de perspective donnait l'impression, dans un premier temps, qu'en foulant le sol on marchait sur des œufs cubiques — puis il s'effondrait dès que l'on distinguait les rainures cimentées des carreaux qui, revenus à l'état de carreaux aux motifs plus ingénieux que les autres mais tout aussi plats, restituaient au sol son accoutumé nivellement. Paul s'intéressait à la surface du sol, comme Vera aux temples : des goûts arbitraires. Le sol au-dessous de la table était à peu près propre et dégagé, nonobstant deux mégots et un bout froissé de cellophane.

Vera trouvait qu'il écoutait décidément trop mal. Sans qu'il le remarquât, elle se dégagea doucement de sa chaussure droite en s'aidant de son autre pied, et cela produisit un frottement très doux et voluptueux de la soie contre le cuir, mais personne n'était sous la table pour l'entendre. Elevant sa jambe avec prudence, elle posa délicatement ses orteils sur l'appareil génital de Paul, qui s'immobilisa, surpris, avec un sourire figé. Le pied se déplaçait légèrement, tirant de sa complexe architecture des effets ingénieux.

— Là, tu m'écoutes. Je le vois bien.

Il fit un effort. C'est qu'il s'agissait maintenant, au plus vite, de renverser la table et de saisir Vera et de bondir avec elle sur le comptoir mou et de s'y enfoncer ensemble, en elle, sur et sous elle, toutes choses inenvisageables dans l'immédiat.

— D'accord, dit-il avec un geste de la main. Stop.

Le pied redescendit comme à regret vers sa chaussure.

— Il ne faut pas m'en vouloir, je suis préoccupé.

— La suite de l'histoire, proposa Vera.

— Où en étions-nous ?

— Au moment où Forsythe et Mac Gregor, déguisés en marchands indiens, entrent dans la ville de Mohamed Khan pour tenter de délivrer le jeune Stone, fils du vieux Stone.

— Très bien, je vois, dit Paul.

Et il passa ses doigts sur ses yeux et sur l'arête de son nez où il s'attarda, comme pour se concentrer et attirer à cet emplacement tous les détails de l'histoire.

— Mohamed Khan n'était pas idiot. Il s'aperçut très vite que, sous leur maquillage, les marchands de tapis n'étaient autres que des officiers de l'armée anglaise. Il les fit convoquer dans son palais sous prétexte d'examiner leur stock, intéressé qu'il se disait. Il fallait jouer serré : seul Forsythe parlait correctement indien et pouvait donner le change. Mac Gregor se fit passer pour muet.

Paul raconta toute la scène du repas, en présence de l'espionnne Tania, tout ce dialogue ambigu, jusqu'au moment où Mohamed Khan, après le dessert, démasque les valets de l'impérialisme britannique.

— Arrêtons-nous là pour aujourd'hui, le prochain épisode est assez dur.

Il y eut un silence, corrodé par le ronronnement des voitures toujours entassées sur le périphérique. La plupart d'entre elles avaient allumé leurs feux de position. Un avion se déplaçait dans le ciel noir, repérable par un point blanc clignotant et un point rouge d'intensité constante, à peine perceptibles à travers la vitre embuée du bar. Il y avait une forte humidité ; quand on passait les doigts sur cette vitre, il se formait de grosses gouttes qui coulaient jusqu'au sol en traçant des lignes verticales luisantes, à peu près parallèles, bien que se rejoignant parfois.

— Allons-nous-en, dit Vera. J'ai un peu faim.

10

Abel mettait de l'ordre dans la loge de Carla. Il travaillait lentement, tristement ; il était triste. Ce n'était
plus la loge de Carla. Depuis sa mort, deux autres femmes l'avaient occupée.

Abel aussi avait été occupé après le meurtre. Il y avait
eu des policiers, des magistrats, des journalistes, des rem-
plaçantes, une foule de tâches inhabituelles. Abel prit des
rendez-vous, reçut des convocations, fit passer des audi-
tions, et tout cela le contraignit à s'aider d'un agenda,
dont il noircit deux semaines et qu'il jeta quand les
choses se furent tassées.

Elles s'étaient tassées. Abel avait traîné un moment
dans la salle obscure de la boîte de nuit, avec l'accablante sensation de s'être tassé au même rythme
qu'elles. C'était un après-midi de soleil froid. Il n'y avait
pas grand monde dans la rue, presque personne dans la
salle. Au fond d'un recoin opaque, deux femmes de
ménage au repos comparaient à bas bruit leurs taux de
cholestérol. Sous la scène, le pianiste martelait son clavier
avec un regard inexpressif de dactylo. Un cylindre de
cendre exceptionnellement long et légèrement incurvé
adhérait encore au mégot coincé dans sa commissure,
et un ruban de fumée montait le long de son visage, en
épousant tous les reliefs, passant par-dessus ses yeux

presque clos pour se diluer ensuite sur son front, à l'orée de sa chevelure. Une petite veilleuse à pince était fixée au rebord du piano, éclairant la partition de *These foolish things (remind me of you)*, sur quoi l'instrumentiste concoctait d'interminables variations. Près du piano, dans la pénombre, une jeune fille en collant bleu alignait les poses provocantes sur la trame mélodique de Maschwitz et Strachey, par un travail ingrat de prosodie anatomique.

Abel les avait regardés un moment, puis il était monté vers les loges. Celle de Carla était la plus encombrée. Le sol était couvert de couches d'objets accumulés, la couche la plus profonde étant composée des affaires de Carla, les sédiments de ses consœurs successives se trouvant respectivement de plus en plus proches de la surface. Il y avait des bas, des sous-vêtements multicolores, des bottes vernies, une remarquable profusion d'accessoires de maquillage, des manteaux entassés dans des angles, des journaux empilés contre un mur, des robes sur les dossiers des chaises, des photos de comédiens ou d'inconnus épinglés au papier peint, des miroirs, des mouchoirs en papier, des bouquets de fleurs à différents états de flétrissement, des cintres, des cendriers, des récipients servant de cendriers, des bouteilles d'eau minérale, des ampoules nues.

Abel s'était mis à ranger. Il envisageait de rassembler les affaires de Carla qui étaient demeurées là depuis sa mort, gisantes, et qu'il s'attristait de voir éparses, foulées, froissées, dérobées. Il avait attendu quelque temps que l'on vînt les réclamer, mais personne ne s'était présenté. Il décida de les emballer dans un carton qu'il emporterait chez lui ; ce serait un souvenir d'elle. Il mettrait une ficelle autour du carton, peut-être une étiquette, et l'enfouirait dans un profond placard, parmi d'autres cartons amoncelés qui étaient comme des paquets de mémoire qu'Abel conservait sans les ouvrir souvent.

Il déblaya le linoléum rose, puis les meubles, et constitua son tas. Non sans tricher un peu : il lui arriva d'éliminer tel ou tel vêtement de Carla qui ne correspondait pas assez à l'image qu'il conservait d'elle, subtilisant en retour aux autres quelque objet futile dont il pensait qu'elle aurait pu l'aimer. Ayant éliminé le plus gros du désordre, il s'attaqua à la penderie, aux placards, aux tiroirs, enfin aux coins.

Un coin semblait inaccessible. L'angle d'un des murs en soupente était obstrué par une grosse malle vissée au sol, en aggloméré épais, qui pouvait servir de caisse à linge sale. C'était un objet laid, compact ; quelqu'un avait dû avoir la velléité de le peindre, car il s'y voyait des traces d'orangé, mais l'aggloméré boit la peinture. Entre le flanc de ce meuble et le mur béait un trou triangulaire. Abel se coucha à plat ventre, tordit la tête, examina la cavité. Elle était sombre, profonde, d'accès malaisé, mais suffisamment vaste pour contenir quelque chose. En distendant son bras autant qu'il le pouvait, il effleura du bout des doigts une surface dont la consistance n'était pas celle du mur ; il semblait que le contenant contînt un contenu.

Abel construisit un appareil avec de la ficelle et un manche à balai, à l'extrémité duquel il fixa un cintre en fil de fer, tordu en forme de crochet. Pour trouver une prise, il lui fallut un long moment, méthodique et minutieux, qu'il allongea à loisir. L'occupation le passionnait, dissipait presque sa tristesse ; elle comblait un espace de sa journée, lui prenait un morceau de temps laissé pour compte, inutile, abandonné à toute disponibilité, et qui n'en espérait pas tant ; peu importait au fond, dans ces conditions, que la recherche se révélât vaine.

Bien sûr, elle ne le fut pas. Au terme de son effort, Abel extirpa un paquet cylindrique, très lourd, soigneusement enveloppé dans du papier journal fixé avec du chatterton. Il le considéra un moment avec une expression interrogative, comme s'il attendait de l'objet qu'il se mît à parler. Puis il eut l'idée de vérifier la date du journal ; elle correspondait à la période où Carla occupait la loge ; l'inattendu paquet lui était donc contemporain. Abel était un peu ému. Il dégagea la table et posa le paquet dessus.

Il se contraignit à s'éloigner, à feindre un moment de parfaire le rangement de la loge, sans trop savoir pourquoi ; peut-être pour s'accorder le temps de réfléchir, ou bien, usant d'un procédé analogue à celui du coït, pour aiguiser le plaisir de sa curiosité en différant autant qu'il est possible son sommet et son issue. Enfin il défit le papier, coupa au ciseau les bandes adhésives, ouvrit le carton.

C'était un carton à chapeau, sans chapeau à l'intérieur ; à la place, une liasse de papiers s'entassaient dans une chemise beige. Abel les lut l'un après l'autre, soigneusement d'abord, puis de plus en plus vite.

Certains papiers étaient constellés de chiffres, dont la combinaison avait requis l'emploi de quatre stylos à bille de couleurs différentes ; d'autres s'ornaient sur toute leur surface de schémas n'évoquant rien de connu. Toute une série de feuilles était envahie de brèves formules algébriques reliées les unes aux autres, dans un ordre impénétrable, par des flèches tracées au feutre rouge. Sur les derniers s'empilaient des titres de livres et d'articles scientifiques, suivis de leurs références. La plupart étaient en langue étrangère, mais les titres français eux-mêmes étaient composés de mots étrangers à Abel. Il comprit très vite qu'il n'y comprendrait rien. Il effeuilla un moment la liasse avec une sorte de nostalgie envieuse, puis il la retira et la posa sur la table. Coincé dans des feuilles froissées, se tapissait encore quelque chose au fond du carton.

C'était une sorte de boîtier cubique et clos, de la taille d'un savon de Marseille. Sa surface était mate et froide, sa couleur anthracite, légérement plus claire sur la face où il reposait. Sa matière évoquait à la fois la fonte et la vieille matière plastique, comme du matériel téléphonique ancien. Il était par ailleurs considérablement lourd, et la disproportion entre ses dimensions réduites et son extrême pesanteur inspira quelque appréhension à Abel, qui ne le manipula qu'avec beaucoup d'égards.

Il l'examina avec soin, cherchant à sa surface une marque, un poinçon, une irrégularité, quelque signe enfin, susceptible de proposer un sens, une fonction à cet objet. Il n'y avait rien. Les faces étaient lisses, les arêtes régulières, les angles émoussés ; il ne trouva rien, pas même une trace de soudure.

Abel éprouva de la rancœur. Son raisonnement butait contre l'objet cubique comme il butait contre la liasse. Ces choses n'entraient dans aucun circuit de compréhension, elles n'induisaient rien, n'indiquaient rien de plus que leur simple apparence. Mis à part leur vague relent scientifique, elles étaient insituables, innommables. Le cube ressemblait à une boîte, mais rien ne prouvait que c'en fût une ; il pouvait aussi être semi-plein, comme une brique, ou encore compact comme un lingot.

Si ces objets étaient incompréhensibles, et leur mise ensemble tout autant, l'était également leur présence ici. Vint à l'esprit d'Abel que ces éléments mystérieux, clandestins, ostensiblement dissimulés, pouvaient avoir un lien avec le meurtre de Carla, par affinité de mystère, personne n'ayant pu jusque-là établir le mobile du phénomène. Abel envisagea les recherches qu'il lui faudrait faire pour pouvoir découvrir de quels fils était tissé ce lien ; elles seraient longues et ingrates, dangereuses éventuellement, et mobiliseraient peut-être une somme d'efforts dont il s'estimait peu capable, même si la perspective de trouver l'assassin de Carla, et l'idée d'assassiner cet assassin par souci de symétrie, irriguaient chez lui une pulsion aventurière et meurtrière. Inenvisageable était en revanche, et pour diverses raisons, quelque recours à la police. Il s'était assis dans un fauteuil pour réfléchir à tout cela.

Après s'être levé, il replaça les objets dans le carton à chapeau, sans rien modifier de leur ordre initial, puis il enveloppa le carton dans son emballage d'origine, reconstituant minutieusement l'empaquetage qu'il consolida avec du chatterton neuf.

Un peu plus tard, Abel sortit de son établissement, dans l'air froid et la lumière abattue, deux cartons sous les bras. Le carton cylindrique pesait plus lourd que les affaires de Vera ; Abel penchait à gauche. Le ciel était envahi de nuages innombrables, si épais qu'ils finissaient par n'en former plus qu'un seul. Les trottoirs étaient vides et livides. Une Simca 1000 était garée de l'autre côté de la rue, avec un jeune homme installé au volant qui avait l'air d'attendre et qui soufflait sur ses doigts pour les réchauffer ; chaque fois qu'il soufflait, l'air chaud fusait de sa bouche comme un jet de vapeur.

Abel s'arrêta sur le bord d'un trottoir et guetta un taxi, qui arriva enfin. Il ouvrit la portière arrière, poussa les cartons sur la banquette et se glissa à leur suite dans la voiture. Le chauffeur, sans se retourner, orienta vers lui une oreille obstruée de coton gris.

— Rue Mogador, fit Abel.

Une fois le message filtré par le coton, le taxi repartit. Le jeune homme dans la Simca 1000 démarra, mit le chauffage à fond, fit un large demi-tour dans la rue déserte et se mit à suivre le taxi.

Ce jeune homme paraissait vraiment très jeune. Il était même difficile de lui prêter un âge, car il semblait toujours ne pas avoir atteint cet âge, si bien qu'on pouvait aussi le soupçonner d'être beaucoup plus vieux que ça. Son visage était barré de lunettes rondes qu'il ne semblait porter qu'à titre d'accessoires, peut-être pour se vieillir un peu. Il fronçait les sourcils de temps en

temps avec une mimique d'absorption, comme s'il lui
fallait régulièrement se rappeler lui-même à l'ordre. Ses
cheveux étaient châtains, assez longs, mais leur coupe
trahissait l'indécision du jeune homme quant à savoir
s'il devait les porter courts ou longs. Il portait un pantalon de coton vert un peu léger pour la saison, des
chaussures de tennis avec de grosses chaussettes de laine
grise, et un caban auquel des boutons manquaient. Il
fumait des Bastos rouges, rejetait la fumée sans l'avaler,
et s'appelait Albin.

11

Dans la pièce régnait un silence de salle d'attente, tout en raclements de gorges et en pages tournées. Carrier avait repris sa lecture après avoir éteint la radio. Selmer était assis, son livre fermé posé à plat sur ses genoux. Au bout d'un moment, il rompit le silence sur un ton de conversation de salle d'attente, comme s'il s'enquérait de l'imminence d'un dentiste.

— De quoi s'agit-il au juste ?

Carrier freina ses yeux qui couraient sur les lignes et leva la tête sans répondre.

— J'ai cru comprendre que vous aviez besoin de quelqu'un, peut-être pourriez-vous me dire de quoi il s'agit, répéta Selmer.

— Il faut attendre Lafont, il vous expliquera.

— Excusez-moi, je pensais que vous étiez au courant.

— Mais je suis au courant, s'énerva Carrier, ça n'a rien à voir, Lafont vous expliquera.

— Vous ne pourriez pas me l'expliquer vous-même ? insista Selmer.

— Impossible, dit Carrier en feignant de se remettre à lire. Je risquerais de trop en dire.

Selmer eut un sourire.

— Simplement l'essentiel, proposa-t-il.

— Surtout pas, dit Carrier.

— Et Lafont ?

— Lafont vous en dira juste assez, en tenant compte

de ce qu'il sait, de ce qu'il ne sait pas, et de ce qu'il veut cacher.

— C'est un peu intellectuel, dit Selmer.

— C'est comme ça, dit Carrier. Voulez-vous boire quelque chose ? J'ai du cognac espagnol et de la Suze.

Selmer ne répondit pas tout de suite.

— Vous vous méfiez.

— J'hésitais, mentit Selmer. Un peu de Suze.

— Je n'ai pas de glace, s'excusa Carrier.

— Je la bois sans glace.

Ces urbanités, jointes au déplacement de verres et de bouteilles, assouplirent un peu leurs rapports.

— Vous n'êtes pas inquiet ? fit l'austère avec un geste, du même ton que s'il demandait si la pièce était assez chauffée.

Selmer, le nez dans la gentiane, fit un autre geste qui voulait dire que non.

— J'aimerais simplement en savoir un peu plus, dit-il en posant son verre.

— Une organisation, dit Carrier, une simple organisation, comme il y en a tant, avec des chefs qui commandent et des exécutants qui exécutent. Vous voyez, ça n'est pas compliqué.

— Rien de plus courant, approuva Selmer. Et vous faites partie des chefs ou des exécutants ?

— Entre les deux.

— Ah, dit Selmer, c'est le plus mauvais rôle.

— Ne m'en parlez pas, dit Carrier.

Ils prirent une pause, absorbèrent des gorgées.

— Et de quoi s'occupe-t-elle, cette organisation ?

Carrier semblait moins raide ; son austérité lâchait du lest. Il se cala dans son fauteuil en cambrant puis relâchant ses lombes et il étendit ses jambes sous la table basse sise entre Selmer et lui.

— Un peu de tout, répondit-il. Ça n'a pas de nom. Vous verrez.

68

LE MÉRIDIEN DE GREENWICH

Il sourit. Selmer s'obstina.

— Mais moi dans tout cela ? Moi ? Qu'est-ce que je fais, moi ?

— Je vous l'ai dit, vous verrez avec Lafont.

— Votre organisation serait-elle à ce point cloisonnée que vous n'en sussiez rien vous-même ? subjonctiva hardiment le traducteur.

— Je vais vous expliquer, articula Carrier d'un ton pédagogique. La différence entre Lafont et moi, c'est que je suis plus au courant que lui du travail que nous menons actuellement, et pour lequel nous avons besoin de vous. Lafont constitue entre nous deux un stade intermédiaire, une sorte de filtre. Je lui ai donné des informations pour qu'il vous les communique aujourd'hui. Si je vous les communiquais moi-même, l'absence de ce filtre dans le dispositif pourrait perturber l'ensemble du système. Vous finiriez par en savoir trop, ou alors pas assez. Suis-je assez clair ?

— Permettez-moi d'être sceptique, dit Selmer.

— Ecoutez un instant, vous allez voir que ça marche.

Carrier vida son verre, le posa, et se mit à caresser les bras de son fauteuil.

— Je sais où vous étiez il y a une heure, reprit-il. Par ailleurs, j'ai une vague idée de l'endroit où vous irez en sortant d'ici. Cette idée devient d'ailleurs un peu moins vague à partir du moment où vous savez vous-même que je crois savoir où vous irez.

Selmer fronça un sourcil.

— De deux choses l'une, poursuivit Carrier. Ou bien vous n'irez pas là où vous pensez que je présume que vous irez, et vous vous rendrez dans un autre endroit, sans d'ailleurs être sûr que ce n'était pas justement cet endroit-là que j'avais prévu.

Il s'embrouillait un peu dans les relatives. Sans cesser de parler, il emplit à nouveau les deux verres.

— Ou bien alors, si vous êtes plus malin, ce qui n'est

après tout qu'une sorte de second degré de la naïveté, vous vous rendrez à l'endroit que vous aviez initialement prévu, toujours sans savoir si ce n'était pas précisément là que je voulais vous amener. C'est un processus classique, voyez-vous, un jeu de miroirs qu'on peut compliquer à l'infini. D'ailleurs, non, rectifia-t-il scrupuleusement, pas tout à fait à l'infini. Il y a un moment où ça s'arrête. Mais ce serait trop long à expliquer.

Le siège de Selmer lui parut moins confortable. Il remua dessus.

— On verra, dit-il d'une voix moins assurée, j'irai peut-être au cinéma.

— Je sais, on repasse *L'enfer est à lui* pas très loin de votre hôtel. C'est bien ça ?

Le silence de Selmer répondit à sa place que c'était bien ça. Un malaise enfla.

— Il paraît que la copie est en mauvais état, dit rêveusement Carrier.

— Ecoutez, dit Selmer, si vous m'avez fait venir, c'est que vous avez besoin de moi. Et si vous avez besoin de moi, croyez-moi, ça ne vous vaudra rien d'essayer de m'inquiéter.

— D'accord, dit Carrier, je vais vous rassurer. A la vôtre.

Ils asséchèrent leurs godets, que Carrier emplit derechef.

— Dans le travail que nous vous proposons, il se présentera inévitablement des situations imprévues, des accidents, des obscurités, que sais-je encore. Ecoutez-moi bien, accentua-t-il en détachant ses syllabes, quoi qu'il arrive, si vous n'avez pas d'instructions appropriées à la circonstance, il vous faudra agir exactement comme vous en aurez envie. Vous ne devrez pas perdre de temps à essayer de nous joindre. Il faudra spontanément vous laisser aller à votre intuition, à votre désir immédiat, même s'il vous paraît absurde ou arbitraire, même, j'insiste,

70

s'il vous semble aller à l'encontre de votre tâche. Qu'est-ce que vous pensez de ça ? Ça n'est pas rassurant, ça ?

Selmer ne répondit pas tout de suite. Il se leva, sans quitter son verre, et se dirigea vers la fenêtre dont il écarta l'épais rideau vaguement brun ou beige pour considérer l'extérieur. Toutes les couleurs de la pièce oscillaient entre le brun et le beige. L'extérieur était surtout brun et gris, mais comportait aussi du beige. Il regarda un moment le terrain vague à l'horizon duquel une femme passait, traînant un enfant qui traînait un jouet.

— Je pourrais refuser, dit-il doucement en suivant des yeux les cahots du jouet.

Il se retourna. Carrier se taisait, regardait ailleurs.

— Vous êtes peut-être mal tombé, dit encore Selmer. Quand on ne donne pas de programme à quelqu'un, c'est qu'on suppose qu'il obéit déjà à son propre programme. On suppose que c'est quelqu'un qui a des réactions stables, régulières.

— Et alors ?

— Alors rien, dit Selmer.

Et l'autocar rose reliant Quito à Bogota traversa son champ de conscience, de gauche à droite et à la vitesse de quatre-vingt-dix kilomètres à l'heure.

— Il m'arrive d'avoir des réactions un peu vives, reprit-il comme s'il exposait son cas à un spécialiste au cours d'une consultation. Des mouvements d'humeur que je maîtrise mal, des sortes d'impulsions. Voilà, des impulsions.

— Et alors ? réitéra Carrier. Quelle importance ?

— C'est quelqu'un de calme qu'il vous faut. Moi, je suis trop instable.

— A quoi pensez-vous ?

— A rien, dit Selmer.

— Si, dit Carrier, vous pensez à quelque chose. Vous pensez aux trois Américains.

Selmer venait de sourire. Son sourire demeura un instant posé sur son visage. Il s'élargit même légèrement, d'un cran, et puis Selmer se retourna vers la fenêtre, et Carrier ne put voir de quelle façon ce visage s'animait. S'écoulèrent quelques secondes et Selmer revint s'asseoir, les traits neutres mais empreints d'une certaine qualité de fatigue. Il prit une cigarette dans la poche de sa veste. Carrier versait deux troisièmes Suzes et s'était remis à parler. Je suis peut-être simplement ivre, après tout, pensa rapidement Théo.

— Vous vous êtes très bien débrouillé avec les Américains, disait Carrier. Bien sûr, c'était un peu risqué de ne pas les tuer tous ensemble. Vous auriez pu supprimer Viceroy tout de suite, mais au fond vous n'étiez pas obligé de savoir que c'était le plus dur des trois. Et puis cela donnait un petit côté esthétique à l'affaire, qui n'était pas mal. Elle en avait besoin, ajouta-t-il en riant.

— Ecoutez, dit Selmer avec calme, vous ne pouvez pas savoir ça.

Bizarrement, il lui sembla qu'il pouvait convaincre Carrier qu'il ne savait pas ça, qu'une fois qu'il aurait bien expliqué toutes les raisons — innombrables, imparables — pour lesquelles Carrier ne pouvait pas le savoir, celui-ci finirait par admettre, serait contraint de reconnaître, qu'en effet il ne savait rien, et n'avait jamais rien su. Il lui parut qu'il suffisait pour cela d'être clair, méthodique, convaincant. Il savait très profondément, en même temps, à quel point tout cela était vain.

— Vous ne pouvez pas savoir, commença-t-il. Essayez de comprendre.

Carrier eut un nouveau rire déprimant, qui fit comme un pneu qui se dégonfle.

— Je ne connaissais personne, dit Selmer, j'étais là par hasard. Personne ne me connaissait. Je ne parlais à personne, je n'étais lié à personne. Vous ne pouvez pas savoir ça.

72

Mais que c'est vain, pensa-t-il. Il s'essoufflait ; l'autre riait encore.

— Je ne travaillais même pas, argumenta-t-il. Je ne travaillais quand même pas pour vous ?

— Bien sûr que si, dit Carrier.

Il y eut du bruit sur le terrain vague. Carrier se leva pour aller voir. C'étaient deux vieillards qui passaient en courant, se poursuivant et se jetant des pierres. Il revint s'asseoir.

— Bien sûr que si, reprit-il, nous vous connaissions depuis longtemps déjà, par Berkowitz. Nous avons commencé à nous intéresser à vous au moment de l'incident de l'ONU, vous savez, le sac en papier, vous vous souvenez ?

Théo se souvenait ; il hocha la tête. Où en sommes-nous, s'interrogea-t-il à la première personne du pluriel présent.

— Eh bien voilà, fit Carrier avec une sorte de gêne, comme s'il tentait d'expliquer un théorème à un triso-mique. Voilà, c'est très simple. A partir de là, nous vous avons observé quelque temps. Et puis, quand nous avons eu l'impression que vous réagiriez comme il était souhai-table, il a suffi de faire en sorte que les Américains prennent le même autocar que vous.

— Je crois que je comprends, dit lentement Selmer. Dans la mesure du possible.

— Bien sûr, dit Carrier.

S'ensuivit un silence, ponctué d'échanges sporadiques, à demi-mots.

— Ce qui me trouble un peu, dit Selmer, c'est la complication de la chose. Si vous teniez tant à supprimer ces Américains, pourquoi ne pas avoir engagé un de ces bons vieux tueurs professionnels ? Il aurait fait ça au moins aussi bien que moi.

— C'était délicat. Il était impératif que personne ne puisse remonter à nous à partir de cette histoire. Si vous aviez échoué, si vous vous étiez fait prendre, personne n'aurait pu savoir que c'était nous qui avions monté l'affaire, puisque vous-même ne le saviez pas. Puisque vous ne nous connaissiez pas. Mais vous vous en êtes très bien tiré. Vous savez qu'ils cherchent encore ?

Il émit à nouveau son rire de pneu.

— Vous n'avez pas tenu votre promesse, observa Selmer. Vous ne m'avez pas rassuré.

— Ça va se tasser, dit Carrier, il fallait bien en passer par là un jour ou l'autre.

— Et si je m'en allais maintenant ? risqua Selmer sans conviction. Après tout, je pourrais m'en aller. Voilà, je m'en vais, on oublie tout, on n'en parle plus et c'est fini. Non ?

— Ne soyez pas idiot, dit Carrier avec une distraction élaborée, nous avons une bonne douzaine de preuves que c'est vous qui avez tué les Américains. Je crois même qu'il y a des photos.

— Je commence à comprendre, dit Selmer.

— On y vient, dit Carrier avec un dernier bruit vulcanisé.

Comme ils semblaient n'avoir plus rien à dire, on sonna à la porte. Carrier se leva.

— C'est Lafont, dit-il.

C'était Albin.

— Blaise n'est pas là ? s'étonna Albin.

74

12

Pradon pénétra dans l'immeuble, traversa le vaste hall, prit l'ascenseur et entra dans son bureau. Il se laissa tomber dans son fauteuil, appuya sur l'interphone qui le reliait à Brigitte et demanda s'il y avait des rendez-vous. Seule était annoncée une madame Caine, pour quinze heures. Il regarda sa montre, vit qu'il avait le temps.

Il travaillait pour Haas depuis deux ans. Il portait des costumes très cintrés, avec gilet, et se tenait très raide tout le jour après les avoir boutonnés le matin une fois pour toutes, comme si ces vêtements lui tenaient lieu à la fois de cuirasse et de tuteur. Il s'affaissa un peu, défit les derniers boutons de son gilet et ouvrit un tiroir de son bureau d'où il retira une petite boîte en bois qui contenait une lame de rasoir et une feuille de papier blanc pliée en huit, formant un étui plat.

Le papier déplié contenait un fond de poudre blanche. Pradon en accumula précautionneusement un petit monticule sur le bord de la lame, puis, comme il était seul, il cura grossièrement sa narine droite pour la dégager, boucha la gauche de l'index, avança le nez et aspira d'un coup, brièvement mais avec énergie.

Pradon eut un soupir concentré et satisfait, et il se prépara à répéter l'opération du côté gauche. La chose était un peu plus malaisée, et ses gestes un tant soit peu plus flous. En reniflant une nouvelle fois, il fit un faux mouvement, et la lame, déviant de son trajet, vint lui tailler assez profondément le cartilage. Du sang se mit à gicler sur lui et autour de lui. Il poussa un cri, pressa frénétiquement sur l'interphone, Brigitte accourut. Une heure plus tard, le nez tout entouré de sparadrap, il fit entrer Kathleen Caine dans son bureau.

Elle avait un peu plus de quarante ans. Elle était plutôt grande et mince, avec des cheveux blonds, flous, un peu désordonnés. Pradon ne pensait qu'à son sparadrap.

— Monsieur Haas vous prie de l'excuser de ne pas vous recevoir lui-même, il est très occupé en ce moment.

— C'est au sujet de Byron, dit Kathleen Caine.

— J'imagine votre inquiétude, dit Pradon avec pénétration, mais il est inutile de s'alarmer. Votre mari est très absorbé par son travail, il est possible qu'il ait découvert un nouvel élément de recherche. Dans sa préoccupation, il aura peut-être négligé de prévenir de la prolongation de son séjour. En règle générale, il n'est pas tenu par des contraintes d'horaires ou de délais. Notre politique de recherche, ajouta-t-il en substituant à la pénétration la componction, consiste à laisser le plus de liberté possible aux laboratoires, à plus forte raison quand il s'agit d'un chercheur aussi brillant que monsieur Caine. N'est-ce pas.

— Ne perdons pas de temps, dit Kathleen Caine. J'ai reçu une lettre de Byron.

Pradon se composa un faciès.

— Il me raconte dans sa lettre tout ce que vous ne m'aviez pas dit, précisa-t-elle, et aussi d'autres choses que vous ne savez peut-être pas.

— Où est-il ?

— Il ne le dit pas. Le texte est un peu confus, mais j'ai

76

pu comprendre qu'il avait été engagé par une autre firme, ou quelque chose comme ça.

Horreur, pensa Pradon.

— Vous m'étonnez, dit-il.

— Non, dit Kathleen Caine, je ne vous étonne pas. Il faut le retrouver, maintenant.

— Mais nous avons multiplié les recherches, dit Pradon d'une voix navrée. Il est toujours pénible de parler de ces choses, mais je crois que votre mari avait fait l'objet d'une sorte d'examen psychiatrique. L'éventualité d'une rechute.

— Byron ne peut pas rechuter, coupa-t-elle, il a chuté un jour une fois pour toutes, vraisemblablement en naissant. La question n'est pas là.

— Mais alors ?

— Il faut que vous le retrouviez, répéta Kathleen Caine.

Pradon perdit pied, posa ses mains à plat sur le bureau et émit des propos d'allure conclusive.

— Je prends acte de votre demande. Je la communiquerai dès ce soir à monsieur Haas, mais je peux vous assurer que nous faisons notre possible.

— Non, dit-elle, ce n'est pas une demande, c'est mieux que ça. Connaissez-vous le projet Prestidge ?

Horreur ultime, pensa Pradon, horreur définitive.

— Pas du tout, dit-il.

— Je ne vous crois pas, dit Kathleen Caine.

— Je ne comprend pas, dit Pradon, il s'agit peut-être d'un domaine qui échappe à mes attributions.

Comme je mens mal, pensa-t-il encore. Elle le laissait se débattre. Elle ménagea un silence.

— Ecoutez-moi, dit-elle enfin, vous allez transmettre quelque chose à votre patron. Si vous ne comprenez pas, il comprendra sûrement. Ecoutez bien, c'est une phrase simple. Si Byron n'est pas à Paris dans dix jours, j'enverrai aux journaux tout ce que je sais de cette histoire et

77

du projet Prestidge, avec des preuves. Les journaux seront contents, ça réglera pour quelques jours le problème du gros titre. C'est tout.

Et elle se leva, et Pradon mit un temps avant de se lever à son tour. Il l'accompagna jusqu'à la porte en répétant alternativement qu'il ne comprenait pas mais qu'il transmettrait et qu'il transmettrait bien que ne comprenant pas. Une fois qu'elle fut partie, il se jeta sur le téléphone et transmit.

— Elle sait sûrement beaucoup de choses, conclut-il.

— Oui, dit Haas, sûrement trop.

— Je pourrais essayer de la faire parler, suggéra Pradon.

— Surtout pas, dit Haas, ce serait vous qui en sauriez trop. Prévenez plutôt Russel.

Pradon composa le numéro de l'hôtel Lutetia et demanda la chambre 308.

— C'est moi, dit-il, j'ai quelque chose pour vous. Ça ne vous ennuie pas si c'est encore une femme ?

— C'est monotone, dit Russel, mais après tout c'est mon métier.

— Parfait, dit Pradon, je vous envoie des informations tout de suite avec un chèque. Il faudrait que ce soit fait pour demain.

— Je vous rappellerai, dit Russel avant de raccrocher.

Il traversa sa chambre en direction du lit où gisait sa valise ouverte et en tira un petit sac de feutrine verte qu'il posa sur la table ; puis il se dirigea vers la baignoire et fit couler de l'eau.

Il se changea après s'être lavé. Tirant de la feutrine un gros Laguiole à manche de corne, il en éprouva la pointe, fit prudemment glisser son doigt sur la lame, puis il le replia et l'enfouit dans sa poche.

On frappa à sa porte. C'était un groom qui apportait un pneumatique. Russel l'ouvrit. L'enveloppe contenait un chèque, qu'il glissa dans son portefeuille, et un carré de papier blanc assez fort, vierge de toute inscription, mais dont la surface était couverte de petits points et de traits en relief. Russel passa deux fois son index sur la carte, qu'il déposa ensuite dans un cendrier après y avoir mis le feu.

Quatre heures plus tard, à la nuit, Kathleen Caine sortait de chez elle. Elle s'arrêta un moment sous le porche de son immeuble et tira de son sac un poudrier, en vue d'un raccord. Comme elle maniait sa houppe, elle fut interpellée par la voix humble et distinguée d'un aveugle qui priait qu'on l'aidât à traverser la rue. Elle se retourna, et du sang se mit à gicler sur elle et autour d'elle et elle mourut sur le coup.

Un quart d'heure plus tard, un passant trébucha contre son corps qui gisait dans la pénombre en travers du trottoir. Le passant faillit tomber, jeta ses bras devant lui pour parer à la chute, ne tomba pas, retrouva son équilibre et insulta l'obstacle avant de l'examiner. L'identifiant, il poussa un court cri et courut vers le bar le plus proche, d'où l'on appela la police, comme on fait dans ces cas-là. La police arriva sur les lieux à l'instant même où Russel, dans sa chambre, s'immergeait dans un nouveau bain. L'aveugle se lavait beaucoup et souvent, surtout les jours de travail.

13

Deux ans plus tôt, un matin de très bonne heure sur le pont Bir-Hakeim, un autre passant — à moins que ce ne fût le même, et dans ce cas imaginons son trouble — avait pareillement perdu l'équilibre et jeté ses bras devant lui en trébuchant contre le corps d'Angelo Klopstock-Lopez.

Angelo Klopstock-Lopez, avant d'être nuitamment et mortellement perforé par trois balles de calibre 11,43, était lui-même marchand d'armes, et la dernière action de son intellection, ultime réflexe de professionnel, fut d'ailleurs de reconnaître au son la référence exacte des susdits projectiles, juste avant qu'ils ne le trouassent. Le passé d'Angelo était aussi trouble que le fleuve mat et brun qui coulait ce matin-là sous son cadavre ; comme lui il charriait d'innombrables constituants répugnants qui étaient autant de raisons de le tuer. L'énorme quantité de mobiles possibles de cet homicide et le nombre considérable de groupements et de particuliers susceptibles de l'avoir commis avaient d'emblée quelque chose de décourageant ; de surcroît la conjonction des conjonctures électorale et diplomatique, jointe à ce fait, finalement décisif, que personne un instant ne s'émut réellement du décès de Klopstock-Lopez, tout cela produisit sur l'enquête qui s'ensuivit des effets de piétinement, de négligence, de lassitude et de délaissement. On classa. On oublia.

Il est juste de dire qu'Albin s'y était bien pris. Du jour où il conçut l'idée originelle jusqu'à cette nuit où son index pressa une détente froide, il mena cette intervention dans la plus parfaite solitude et la discrétion la plus louable, sans jamais se départir d'une extrême application et comme d'un souci de bien faire, d'une sorte de perfectionnisme candide, mais efficace ; la preuve.

Le projet de cette action singulière avait mûri chez Albin sous un soleil de lassitude, après qu'il eut besogné toute une année dans quelques organisations radicales, et en eut épuisé les plaisirs fragiles, et n'en eut retiré qu'amertume. Il convint donc de se retirer, mais non sans marquer son départ de la sphère politique, et ainsi racheter ce qu'il jugeait quand même encore un abandon, par ce geste, qui constituerait à la fois le faîte et le terme de sa vie militante, et dont il pourrait jouir, seul, le devoir accompli, sa conscience pour soi. Sans parler du plaisir de l'entreprise.

A l'insu général, il entreprit de constituer à l'aide de journaux, de livres, d'annuaires, une liste de gens répondant aux quatre conditions d'être encore en vie, d'être à ses yeux coupable, de résider à Paris, de n'être pas trop dur à tuer. La sélection fut longue ; une foule de noms se pressait aux portes de la liste ; il fallait être strict, impartial au possible, éliminer tout sentiment personnel, examiner toute candidature sur dossier. La recherche enfanta de six noms. Albin inscrivit les six noms sur six bouts de papier qu'il plia et jeta en vrac dans un chapeau acheté à cet effet, et ce qu'on pourrait appeler le hasard, le destin, la némésis ou bien l'histoire fit que ce fut le nom d'Angelo Klopstock-Lopez qu'Albin tira du chapeau.

Il passa deux mois à observer le négociant en dehors de ses heures de bureau, et le plus malaisé fut encore de se procurer l'arme. Quant à l'exécution elle-même, Albin en avait établi le plan avec cette concentration minutieuse et sereine dans laquelle il s'absorbait dix ans plus tôt, quand il ne s'agissait encore que de construire en Meccano quelque complexe pont roulant. Il le concrétisa sans obstacles, et laissa trop peu d'indices pour qu'une enquête aussi bâclée eût la moindre chance de remonter jusqu'à lui.

Les premiers jours qui suivirent la perforation d'Angelo, Albin jubila, savourant moins la perfection de l'acte que la propriété exclusive et parfaite qu'il avait de cet acte. Comme s'il se repassait sans cesse le même film, le même disque, il arpentait de long en large le souvenir de l'événement, l'inspectait dans ses moindres détails, sans relâche, à la façon de quelqu'un qui parcourt une maison vide où il va s'installer. L'envahissait parfois, surtout le soir, un amour de lui-même, comme une exaltation, qui l'enflait au point de l'empêcher de dormir.

Il reprit progressivement son existence antérieure, oisive essentiellement, renoua des liens. Jamais devant lui on n'évoqua le meurtre, passé d'ailleurs assez inaperçu ; jamais il n'en souffla mot. Par un nouvel effet de ce qu'on pourrait encore appeler le sort, la fatalité, l'ordre des choses ou l'ignorance des causes, il se trouva un jour amené dans sa dérive jusqu'aux portes du musée Cernuschi, près du parc Monceau. Il y entra ; c'était le matin ; il visita. Un moment, comme il se trouvait en face d'un boddhisatva et à côté d'un inconnu, il engagea avec celui-ci une conversation sur celui-là, ayant renoncé depuis longtemps à tenter de faire l'inverse. Découvrant l'un chez l'autre, toutes choses égales par ailleurs, un intérêt commun pour la statuaire khmer, ils sympathisèrent, et l'inconnu invita Albin à se joindre à des réunions d'esthètes qui se tenaient le samedi à Nanterre, chez un orientaliste de ses amis.

L'inconnu était évidemment Lafont, et l'orientaliste

Carrier. Albin ne fut pas long à comprendre, sans pour autant parvenir à se l'expliquer, que l'on ne parlerait pas des restes d'Angkor, mais de ceux d'Angelo Klopstock-Lopez. Comme Selmer deux ans plus tard, Albin se laissa aller à une méditation amère et floue, aux relents métaphysiques, qui tournait autour du concept de libre arbitre. Jamais il ne put comprendre comment on avait pu ainsi organiser son existence, durant quelques mois, à sa place en même temps qu'à son insu. Même s'il s'efforçait d'admettre le principe de la chose, toujours il butait sur l'épisode du tirage au sort, dont la détermination par avance du résultat outrepassait ce qu'il avait tenu jusqu'alors pour la limite du vraisemblable. Il lui fallut plusieurs mois pour métaboliser l'énigme ; ce fut comme une convalescence. Depuis, il participait régulièrement aux réunions du samedi. Ce samedi-là, il entra et s'assit sur le canapé à côté de Selmer.

— Blaise n'est pas là ?

— Lafont non plus, dit Carrier, ils ne vont pas tarder.

— J'ai prévenu Blaise, dit Albin, et puis j'ai suivi le gérant. Il avait des paquets sous le bras, il est rentré chez lui.

— Je vais m'en occuper. Et Pradon ?

— J'ai pu avoir son emploi du temps de la semaine prochaine, par Brigitte. Il y a deux ou trois moments possibles pour l'intercepter.

— On en reparlera, abrégea Carrier, c'est à l'ordre du jour.

— Et Tristano ? demanda Albin.

— C'est à l'ordre du jour.

— Et lui ? fit Albin en désignant Selmer. Il est à l'ordre du jour, lui aussi ?

— Lui aussi, dit Carrier.

— Je vois ce que c'est, gémit Albin en parlant de Selmer comme s'il n'était pas là, ou plutôt comme s'il était à l'intérieur d'un gros paquet qu'on n'aurait pas encore déballé. Je comprends tout. Lui, il va tranquillement partir au soleil pour surveiller le mutant, et moi je vais rester ici, dans la boue et la pluie et le froid et le gris, avec mon manteau usé et mes chaussures où il rentre de l'eau dedans. Quel malheur.

— Quel mutant ? demanda Selmer.

— Voyons, Albin, protesta Carrier.

— Un inventeur, répondit Albin avec une familiarité inattendue, comme si le paquet qui contenait Selmer venait brusquement de s'ouvrir. Une sorte de savant fou qu'ils ont trouvé. On ne se connaît pas, je m'appelle Albin.

— Selmer, dit Selmer.

— Vous n'êtes pas parent avec un fabriquant de saxophones ?

— Voyons, Albin, répéta Carrier.

On sonna à la porte, Carrier alla ouvrir, Lafont entra. Sa voussure passagère au franchissement de la porte pouvait tenir lieu de salut. Il portait toujours son immense costume gris qui le faisait ressembler à un chapiteau de cirque triste, comme il y en a au purgatoire. Selmer remarqua que les semelles de ses chaussures étaient extrêmement épaisses, proportionnées à sa taille.

— Il manque Blaise, dit Carrier, mais on peut commencer sans lui.

On sonna à nouveau. Carrier fit un geste.

— Laissez, dit Lafont, je vais lui ouvrir.

Sa tête rasa le plafond du couloir pendant qu'il marchait vers la porte. On entendit sa main se poser sur la poignée, puis déferla un autre genre de bruit, long, percussif, saccadé, émanant à n'en pas douter d'une arme automatique. Le géant scié en deux s'effondra comme un immeuble, et son corps gisant s'étala sur toute la surface du couloir.

La rafale avait barré la porte dans sa largeur d'une série d'impacts en ligne pointillée, comme dans un plan célèbre d'un film célèbre, mais personne n'eut le temps d'opérer ce rapprochement contingent. La porte s'ouvrit vivement, laissant apercevoir de petits canons noirauds braqués vers l'intérieur, sur un vague fond de manteaux en loden vert. Selmer se jeta derrière le canapé, happant son livre au passage pour en extirper le Llama, pendant qu'Albin et Carrier, à plat ventre, tiraient déjà vers la porte par-dessus le corps de Lafont qui faisait office de barricade. Il y eut un échange généralisé de projectiles, très assourdissant, qui finit par cesser avec la disparition des manteaux verts.

Carrier s'élança vers la porte en brandissant un énorme Colt 45 qui déséquilibrait un peu vers l'avant son corps d'olive. Il fit irruption sur le palier, trouva l'escalier désert et revint en courant dans l'appartement, se ruant vers la fenêtre pour barrer la retraite aux mitrailleurs s'ils s'enfuyaient par le terrain vague. Il guetta un moment en silence, en vain ; les amateurs de loden avaient dû quitter l'immeuble par l'arrière, sur lequel ne donnait aucune fenêtre.

Selmer reprenait son souffle en rangeant l'automatique dans son étui in-octavo. Il regarda Carrier qui regardait Albin qui regardait Lafont qui ne regardait rien. Les yeux du géant étaient aussi vides que le terrain vague, auquel s'accordait leur nuance terreuse. Albin les ferma ; Carrier ferma la porte et Selmer ferma son livre.

— Il est mort, redonda Albin, c'est emmerdant.

— Et le bruit ? fit Carrier avec un geste d'humeur. Ce n'est pas emmerdant, le bruit ? Vous trouvez ça discret ?

Il y avait trois tables. On posa le corps de Lafont sur les deux plus longues bout à bout, et Carrier annonça qu'on se réunirait autour de la troisième. On s'assit d'abord lourdement dans les fauteuils, pour se remettre, comme des sportifs dans un vestiaire. Albin alluma la radio. C'était encore du piano. C'était lent, douloureux, grave.

— Quand la vie se met à ressembler au cinéma, dit Albin, il suffit de mettre la radio pour avoir la musique du film.

— Éteignez ça, s'indigna Carrier. La réunion est ouverte.

On se mit sur des chaises. La réunion fut abrégée, l'ordre du jour modifié. Ce fut à contrecœur que Carrier dut expliquer lui-même à Selmer en quoi consisterait sa tâche. Cela semblait obscur à première vue, mais Théo se garda de poser des questions ; il pressentait que ses questions ne feraient qu'ouvrir la voie à d'autres questions, puis à d'autres encore, et qu'il risquait ainsi de déclencher un processus questionneur sans fin, pouvant aboutir à certaines interrogations extrêmes sur lesquelles il avait pris le parti de ne jamais s'attarder.

Il n'écouta d'ailleurs que de façon flottante le discours de Carrier, et n'en perçut par conséquent que l'essentiel : il allait encore falloir voyager. Tant mieux, pensa-t-il. Il redoutait un peu, depuis son arrivée, de passer tout l'hiver à Paris.

14

Le lendemain matin, le téléphone sonna dans l'obscurité. Il fallut un moment pour que le noir fût dissipé par une lampe de chevet équipée d'une ampoule de quarante watts, dont la lueur étriquée éclaira le bord d'un lit et les alentours de ce lit, encombrés de livres, de journaux, de vêtements en désordre et de mégots, et enfin l'occupante de ce lit, dont on ne distinguait lorsqu'elle décrocha que le bras et le profil gauches, assez nettement cependant pour qu'on pût reconnaître Vera.

Elle voulut dire oui, ou allô, forma ces mots avec les lèvres, mais aucun son ne sortant de sa bouche, elle toussa un peu pour mettre en vibration ses cordes, comme on réchauffe un moteur froid d'un grand coup d'accélérateur.

— Oui, produisit-elle enfin.

Une voix d'homme un peu trop haute grésilla dans l'ébonite.

— Non, dit Vera, c'est une erreur. Cela grésilla encore. Comment ? fit-elle. Cela grésilla longuement. Oui, dit Vera, c'est bien le numéro mais c'est une erreur. Un nouveau grésillement s'ensuivit, pendant lequel l'autre occupant du lit, jusqu'ici invisible, demanda ce qui se passait.

— C'est quelqu'un qui se trompe, chuchota Vera. Il

dit qu'il veut parler à Blaise et je lui dis qu'il n'y a pas de Blaise ici.

— Passe-le-moi, dit Paul.

— Blaise ? grésilla interrogativement la voix.

— Oui, dit Paul, c'est moi.

— Je vous appelle tôt. Je vous réveille, peut-être.

Paul regarda la montre de Vera par-dessus l'épaule de Vera. Il était un peu moins de quatre heures.

— Non, dit-il, c'est-à-dire que oui, un peu, ça n'a pas d'importance.

— C'est que c'est urgent, on risque d'avoir besoin de vous.

— Ecoutez, Albin, dit Paul après avoir pris une profonde inspiration, ça ne me concerne plus, maintenant. Il faut que vous finissiez par comprendre que ça ne me concerne plus. Je l'ai encore dit à Tristano la dernière fois que je l'ai vu. Je ne suis plus dans le coup, vous comprenez ? C'est quand même curieux, on dirait qu'on ne m'entend pas quand je dis ça.

— Bien sûr, grésilla Albin, je comprends. Vous savez ce qui s'est passé hier ?

— Non, dit Paul, je ne sais pas, je ne veux pas le savoir. Ne me le dites pas, s'il vous plaît.

— Il faut quand même que je vous tienne au courant.

— Albin, rappela Paul, ça va encore pour cette fois, mais comprenez bien qu'à partir de maintenant je ne veux plus être au courant de rien. C'est fini, maintenant. On ne se connaît plus. D'accord ?

— D'accord, dit Albin, je vous laisse dormir. Au revoir.

— Adieu, dit Paul.

Il était épuisé. Il raccrocha, éteignit la lampe, se rendormit. Dehors, le matin était obscur, l'éclairage insignifiant ; il y avait très peu de voitures dans les rues glacées, personne sur les trottoirs. Régnait un silence accablant, d'autant plus accablant que pas net.

Quelques heures plus tard, les enfants des appartements voisins s'éveillèrent et commencèrent à circuler doucement dans les chambres, entre les lits adultes d'où fusaient de forts souffles. Avides de se rejoindre, de se grouper ou de s'exclure, les enfants tachetaient le silence de leurs chuchotements, et, comme le jour se levait, leur tumultueux murmure allait en s'amplifiant, de concert avec la lumière furtive qui se faufilait en tous sens, transperçait les rideaux, envahissait les vestibules, assiégeait les placards, ralliait les miroirs à sa cause et s'emparait progressivement des points optiquement stratégiques jusqu'à l'heure où elle éclata, impérative, poussant les pères aux paupières lourdes et fragiles à se lever pour uriner, donnant ainsi le signal de départ d'un dimanche d'hiver.

Quelques heures encore et ce fut midi. Dehors, les rues se déglaçaient très lentement sous un soleil masqué, blanchâtre, dévitalisé. Paul dormait encore, et Vera aussi. On sonna à la porte. Paul se leva pour aller ouvrir. C'était Albin.

— Je suis confus, mais il veut vous voir, dit Albin.

— Mais, fit Paul.

— Je sais, je sais, dit Albin, je vous comprends. Mais c'est différent, il veut vous voir. Il a besoin de vous.

— Moi, dit Paul, je ne viens pas.

— Ecoutez, dit Albin, vous ne voulez pas que je vous fasse le coup de la banque Sobranie ?

— Jeune niais, fit Paul en s'immobilisant, qu'est-ce que vous pouvez savoir de la banque Sobranie ?

— Pas grand-chose, reconnut Albin, mais juste assez pour vous convaincre de venir. Allons, soyez gentil, habillez-vous. Je vous attends dans la voiture.

Passa un archange.

— Ça va, se rendit Paul, je viens. Un instant. Je me vêts et je viens.

Il retourna dans la chambre. Vera ne s'était pas éveillée. Son corps se recourbait en dormant, comme un arc, ses cheveux cachaient son visage. Ainsi refermée sur elle-même, elle semblait inaccessible, dans une sorte d'autarcie du sommeil où Paul ne pouvait avoir de place qu'en rêve. Au fond, pensa-t-il, je peux sortir. Et il se lava le visage et les mains, et s'habilla.

La Simca 1000 emprunta une suite de rues vides, presque aussi dépeuplées qu'en pleine nuit. Il faisait trop froid, les gens restaient dans les maisons. Le soleil était encore dissimulé mais la ville était claire, distincte, les nuages filtrant une lumière nette et neutre, comme un éclairage de salle d'opération. Albin déposa Paul quelque part dans le dix-septième arrondissement, devant l'entrée d'un square.

— C'est là, dit Albin. J'ai à faire, à plus tard.

Paul entra dans le square. Carrier était assis sur un banc, près d'un bac de sable où bricolaient des enfants emmitouflés ; il regardait approcher Paul d'un œil distrait, avec la même expression de surveillance machinale qu'arboraient autour de lui les mères et les bonnes d'enfants, essaimées et engourdies sur les bancs voisins. Paul s'assit à côté de lui.

— J'ai quelque chose pour vous, dit Carrier.

Paul protesta avec des mots informes, pendant que l'autre tendait un petit porte-documents en matière plastique noire et neuve.

— Tout est là, vous me lirez ça. Il y a les billets d'avion et l'argent nécessaire. Vous n'avez plus qu'à partir.

— Partir ? s'insurgea Paul. Tout de suite ?

— Dans une quinzaine de jours. Je vous ferai signe.

— Ecoutez, dit Paul, je ne peux pas.

— Ne vous inquiétez pas, dit Carrier, vous ne serez pas seul. Rentrez chez vous maintenant, et attendez que je vous appelle.

— Je ne peux pas, insista Paul, j'ai du travail, un autre travail, un vrai. Je ne peux pas quitter Paris en ce moment.

— Avec l'argent qu'il y a là-dedans, vous n'avez aucun besoin de travailler. Et pourquoi voulez-vous travailler au moment où je vous offre des sortes de vacances ?

— Des sortes, répéta Paul.

— Oui, dit Carrier, des sortes, des sortes. Et puis vous allez retrouver Tristano, vous rencontrerez Arbogast, vous verrez, ils sont plus amusants que moi. Et puis vous serez au soleil. Vous n'aimez pas le soleil ?

— Je n'aime rien, dit Paul, je vous emmerde.

— Allons, bonne chance, dit Carrier.

Et il se leva et marcha vers la sortie du square. Paul le regarda s'éloigner. Au moment où Carrier poussait le portillon vert et grillagé, la pluie se mit à choir. Il ne manquait plus que ça, pensa Paul.

Albin se fit à peu près la même réflexion vingt minutes plus tard, lorsque l'averse s'étendit jusqu'au boulevard Haussmann. Il était assis dans un bar, contre la vitre, juste en face des bureaux de Haas. Il relisait les journaux de la veille, bâillait. Au fond de son verre restait encore un peu de bière, d'où tout gaz avait fui. Il trempa sa langue dans le liquide plat, fade et amer à la fois, envisagea de commander une autre bière, renonça à ce projet et se plongea dans la nécrologie.

Avant de passer à la liste des soutenances de thèses il jeta un regard vers l'immeuble, de l'autre côté de la rue. Pradon en sortait, flanqué d'un subalterne. Enfin, pensa Albin. Il vérifia la monnaie déposée d'avance sur la table et plia son journal sans quitter des yeux le secrétaire.

Le subalterne guettait un taxi. La Simca 1000 attendait, garée devant le bar. Albin se leva et se dirigea sans hâte vers la sortie. Comme il allait pousser la porte vitrée, constellée de décalcomanies publicitaires, il vit

91

soudain entre deux autocollants quelque chose qui le fit se figer un instant.

Une grosse Volvo, d'un beau bleu sombre et d'un modèle ancien, venait de se garer à hauteur du subalterne. Deux personnages indistincts se tenaient sur la banquette arrière ; ils sortirent de la voiture et devinrent distincts, mais trop éloignés d'Albin pour qu'il pût éventuellement les reconnaître. L'un était plus corpulent que l'autre et ils portaient tous deux des manteaux verts, celui du corpulent d'un vert plus sombre. Cette communauté de vert rappela vaguement quelque chose à Albin, mais quoi ? Le chauffeur demeurait immobile derrière son volant.

Les manteaux s'approchèrent de Pradon qui esquissa un mouvement de recul et buta contre une marche ; le subalterne plongea vivement une main dans sa poche ; le manteau vert donna tout aussi vivement un coup de pied dans le bras du subalterne qui retira sa main avec une grimace. Ils auraient pu me prévenir, pensa Albin, personne ne me dit jamais rien. Il poussa la porte du bar et sortit dans le froid.

Il traversa le boulevard et s'approcha du petit groupe. On y conférait doucement, mais âprement. Pradon et son adjoint semblaient circonvenus par les manteaux, dont Albin vit les poches lourdement bosselées ; de gros calibres, estima-t-il, ou de grosses érections. Les visages émergeant des manteaux lui étaient inconnus, ce qui ne le changeait pas, rompu qu'il était depuis deux ans à un univers où il était de mise, sinon de règle, que personne ne connût personne. Pourtant, il s'en émut ; l'enlèvement de Pradon était prévu depuis longtemps, mais Carrier n'avait cessé de le différer, laissant entendre qu'en haut lieu on demeurait encore indécis quant à l'opportunité du rapt. Que l'on eût ainsi confié l'opération à une autre équipe, sans même le prévenir, lui fit en vouloir un moment au monde entier, manteaux compris, bien qu'il sût apprécier de ceux-ci la technique efficace et sobre. Il s'approcha du manteau vert clair, qui le regardait venir d'un œil d'axolotl pendant que le trapu foncé faisait monter dans la Volvo Pradon et son subalterne.

Albin se sentait à la fois inutile et concerné, donc gêné ; le vert clair se dirigeait vers la portière avant ; il le suivit, hésitant. Le moteur tournait.

— Vous auriez pu m'avertir, dit Albin, qu'est-ce que je fais, moi, maintenant ?

— Plus rien, dit l'autre.

Et il gâcha son loden en expulsant au travers de sa poche un petit projectile en acier chemisé laiton, de forme cylindro-ogivale et d'un diamètre de huit millimètres, qui vint se loger derrière la gorge d'Albin, du côté de la septième vertèbre cervicale. Albin tomba, le vert clair sauta dans la Volvo qui démarra ; le chauffeur releva sa vitre.

Le chauffeur avait un visage large, des mâchoires carrées, le nez pointu et des lunettes ; ses cheveux noirs et luisants semblaient collés au cuir. Il s'appelait Marc-Aurèle Piove et possédait un garage à Senlis. De temps en temps, contre de l'argent, il servait de chauffeur aux manteaux.

A côté du chauffeur, l'homme en clair s'appelait Buck. Derrière le chauffeur, l'homme en sombre s'appelait Raph. Buck et Raph travaillaient toujours ensemble, mais pas toujours avec le même chauffeur.

15

Byron Caine escalada un monticule situé vers le centre de l'île, du sommet duquel on pouvait l'embrasser tout entière du regard. Sur l'éminence était juché un bouquet d'arbres, semblant sapins. Byron Caine s'adossa à l'un d'eux et considéra le pourtour de l'île. D'où il se trouvait, elle semblait presque parfaitement ronde ; seul un gros rocher blanc triangulaire, saillant à l'ouest, masquait un bout d'océan, déformant légèrement le contour du terrain. Caine grimpa à l'arbre pour mieux voir.

Du sommet, la perspective se transformait. Le rocher blanc se trouvait fondu dans le décor, absorbé par la circonférence ; la découpe de l'île était plus régulière. Caine s'assit sur une branche épaisse.

Outre sa division en deux parties par les soins du méridien de Greenwich, et perpendiculairement à celle-ci, l'île était encore coupée en deux par un ruisseau inconsistant qui prenait sa source sur la côte orientale, tout près du palais, et la transperçait d'est en ouest. La source du ruisseau, dès sa naissance, alimentait d'abord un marais aux eaux presque stagnantes, peuplé d'arbres à fièvre, qui communiquait assez d'humidité à cette partie de l'île pour qu'y pussent foisonner les eucalyptus, les kingies et autres fougères arborescentes.

Tout le secteur occidental de l'île, qui en termes de

méridien de Greenwich représentait demain, était en revanche d'une extrême aridité ; ce n'étaient que pierres, galets, cailloux, rochers. Peu d'animaux s'y risquaient, alors que la partie représentant hier abondait en marsupiaux et monotrèmes représentatifs du continent. Les premiers temps, Byron Caine s'était laissé séduire par l'étrangeté de la faune océanienne mais jamais il n'était arrivé à s'y habituer vraiment, et la fréquentation de ces bêtes bizarres l'amenait souvent à rêver de vaches et de chiens, de chevaux, de poulets. Ne lui inspiraient de sympathie que les oiseaux, d'allure étrange mais d'espèce encore familière, et les kangourous, dont les longues têtes et les vastes oreilles lui rappelaient un peu celles des ânes.

Voilà l'île, pensa Byron Caine, c'est ici que je suis. Et la chose lui parut extraordinairement arbitraire ; il eût été plus normal d'être n'importe où ailleurs que là. Il s'imagina ailleurs, à Paris par exemple, mais Paris, à la réflexion, lui parut tout aussi arbitraire que ce point du Pacifique. C'était une vieille sensation. Il était né à Baltimore, au bord du Patapsco, et les rives du Patapsco lui avaient semblé depuis toujours être le lieu le plus arbitraire au monde. Il répéta à voix haute :

— C'est ici que je suis.

Et il se mit à rire, et son rire occasionna comme un vertige, et il dut se retenir à une branche et étreindre vivement le tronc. Il éprouva une détresse, et des larmes lui vinrent dans les yeux. Je suis malade, pensa-t-il encore, et il dut faire un effort pour injecter un peu de sens à ce qui l'entourait, au monde. C'est passé, pensa-t-il, ça va passer.

Le soleil déclinait. Tout l'ouest de l'île, ordinairement blanc dans la journée, se nuançait d'ocre, de bistre, de sépia, de rose également, dans des tons légers.

Il y eut du bruit au-dessous de lui ; il baissa les yeux. Passait au pied de l'arbre une sorte de rate, grosse comme un gros lapin, qui transportait ses petits entassés sur son dos comme sur une plate-forme d'autobus. Leurs petites queues préhensibles s'agrippaient fermement à l'épaisse queue maternelle ramenée au-dessus de leurs têtes, qui leur offrait ainsi une sorte de rampe pour se tenir, selon un système également adopté dans les autobus. Caine cassa une petite branche et la jeta vers l'animal qui s'enfuit en courant, sa postérité s'entrechoquant sur son dos.

Il demeura dans l'arbre jusqu'à la tombée de la nuit. Deux lumières surgirent dans l'ombre épaississante, à l'est d'abord, puis au sud. Celle de l'est venait du palais, où Joseph à l'instant même ouvrait une boîte de conserves pendant que Tristano codait, ou décodait. La lueur du sud était plus faible, à peine perceptible, ce ne pouvait être qu'Arbogast. Arbogast avait sommairement aménagé les trois casemates en béton édifiées au bord de l'eau et habitait l'une ou l'autre au gré de son humeur. Il ne paraissait jamais au palais et passait ses journées seul dans l'île pour en préparer la défense dans l'éventualité d'un assaut. Il arrivait à Caine de l'apercevoir, mais Arbogast l'ignorait ostensiblement, semblant d'ailleurs se dissoudre, à peine aperçu, dans un buisson ou un rocher.

Arbogast ne parlait qu'à Tristano et à Joseph, et encore très brièvement. De temps en temps, il disparaissait complètement pendant quatre ou cinq jours, et revenait porteur d'informations que l'on communiquait rarement à Caine. Quand Joseph et Tristano parlaient d'Arbogast, c'était avec une sorte d'affection craintive. Bien que, de l'avis de Tristano, aucune agression ne fût à craindre dans l'immédiat, ils faisaient grand cas des activités stratégiques d'Arbogast, admettant de ce fait son mode de vie solitaire et silencieux. Eux-mêmes parlaient peu.

Il fit nuit, Byron Caine eut faim. Il descendit de l'arbre, dégringola du monticule et marcha vers le palais, se frayant un chemin dans la broussaille et s'égarant souvent. Il s'arrêta à plusieurs reprises pour se repérer, prenant pour azimut la lumière que filtrait la longue et basse fenêtre de mica. Plusieurs fois aussi il s'enfonça dans un bras de marais grouillant d'insectes glauques et agressifs, pendant qu'au-dessus de sa tête les phalangers et les dasyures, émergeant de leur sommeil diurne, commençaient à s'activer dans les branchages.

Lorsqu'il parvint au palais, qui se dressait entre la plage et le marais, Byron Caine avait les pieds trempés. Des flots de violons américains parasités se déversaient par la porte ouverte de l'étage, de concert avec une prévisible odeur de cassoulet. Cette conjugaison lui souleva le cœur et il renonça à monter rejoindre Joseph et Tristano. Il contourna l'échelle et longea le petit carré de légumes que Joseph entretenait pour accompagner les conserves. Joseph avait découvert par hasard que le palais et ses abords immédiats baignaient dans un microclimat inopinément favorable à la culture du chou-fleur, ce qui accentuait d'ailleurs, du point de vue de Caine, le caractère arbitraire du lieu. Fort de sa découverte, Joseph s'était procuré, sans doute par le truchement d'Arbogast, des graines et des plants de différents légumes européens qu'il tenta d'ensemencer sur le sol îlien. Tous périrent, seul le chou survécut, avec quelques tomates minables, inconsommables, que Joseph laissa pourrir sur pied.

Caine entra dans le rez-de-chaussée désolé, démuni de porte et rongé par les mousses. Il s'approcha de l'escalier inachevé qui en occupait le centre, derrière lequel se cachait une trappe qu'il souleva, découvrant une béance souterraine adoucie par un autre escalier plus petit, achevé celui-là. Il descendit.

Le sous-sol du palais était un immense espace vide aux faces cimentées, consolidé par une foule de piliers de soutènement disposés sans symétrie. Caine avançait entre les piliers comme dans une forêt, brandissant devant lui une lampe à pétrole qui faisait jouer leurs ombres tremblantes sur le sol gris. Plus aucun bruit ne parvenait de l'extérieur ; seul le chuintement grotesque et visqueux de ses bottes pleines d'eau scandait lourdement la marche de l'inventeur. Il s'approcha de la machine.

Il l'avait installée dans un des coins les plus reculés du sous-sol. Au début de son séjour, il avait accordé à Tristano et à Joseph un droit de regard sur l'objet, qu'il réduisit ensuite en droit de visite, avant de se raviser. S'inspirant de l'exemple d'Arbogast, il décida d'imposer lui aussi son mode de vie, ses exigences : que personne n'approchât de la machine, même en sa présence, que l'on s'abstînt de toute velléité d'intervention dans ses travaux, fût-ce sous le prétexte de l'aider, bref que rien ne le troublât. Les autres s'étaient soumis à la demande, malgré les réticences soupçonneuses de Joseph que Caine supportait en silence avec un visage résigné, empreint de condescendance et de scientificité.

Non loin de l'appareil, il avait aménagé une sorte de réduit en planches qui lui tenait lieu de bureau et de reposoir. Des plans compliqués étaient épinglés aux parois du réduit, et quelques rayonnages instables y supportaient des caisses d'outils, des boîtes de conserves, et toujours des livres, des papiers, des vêtements froissés. Byron Caine alluma les lampes, s'assit et changea de chaussures en regardant la machine.

Le corps de la machine était un cylindre métallique oblong, peint en noir, reposant sur sa base et s'élevant à hauteur d'homme. Sur son flanc, vers le bas, un trou avait été découpé au chalumeau, puis colmaté avec des chiffons sales. Fixés à différentes hauteurs sur la péri-phérie du cylindre, une vingtaine de pseudopodes, de tailles et de constituants divers, s'enchevêtraient autour de lui comme des tiges volubiles. Ces éléments hétérogènes ne semblaient pas tous achevés, certains paraissaient n'exister qu'à l'état de schémas, de prototypes. L'allure de l'un d'eux, par exemple, simple conglomérat de fil de fer tordu, sommairement soudé à une plaque d'acier elle-même fixée à la paroi avec des boulons dépareillés, n'annonçait en rien qu'il fût achevé. Sa précarité laissait penser qu'il pouvait n'être qu'une ébauche, une supposition à peine concrétisée, la matérialisation hâtive, et ainsi disposée pour mémoire, d'une intuition encore en travail. Quelques éléments de la machine, aussi démunis que celui-ci, semblaient ainsi n'avoir pour tâche que d'opérer le tout premier passage de l'idée dans la matière, représentant le stade initial de sa concrétisation, l'état qui succède immédiatement à la formule.

Néanmoins, la plupart des pseudopodes, généralement fixés aux flancs de l'appareil par des bielles articulées, se prolongeaient dans l'espace en s'affinant de façon plus élaborée, plus précise, bien que leur allure de bricolage composite et hâtif n'évoquât jamais rien de familier. Amarrées au cylindre par un socle de tungstène, une famille de tiges d'acier luisant et graisseux se communiquaient leurs mouvements les unes aux autres. D'une boîte en plexiglas vissée à la paroi et contenant un petit jeu d'engrenages compact et ramassé s'épanouissait un rameau de rubans de cuivre tremblotants, sur lesquels des signes étaient tracés à la craie bleue. Un autre était composé tout entier de petites protubérances de bois et de plomb, collées les unes aux autres ou reliées avec des bouts de laine. Tout espoir de compréhension, d'abord encouragé par la reconnaissance au sein de ce fatras de quelques unités mécaniques conventionnelles, se diluait ensuite, s'éparpillait et renonçait enfin à suivre cette accumulation de relais hétéroclites, d'accouplement techniques contre nature, si l'on peut dire, d'apparents contresens d'objets. Pourtant, bien que les plus élaborés de ces pseudopodes ne parvinssent jamais à évoquer qu'une espèce de tératologie technologique, leur agencement, leurs articulations détenaient encore un caractère familier, classique, humain presque, au regard de ramifications plus sauvages, qui fusaient au contraire directement de leur base, comme les branches d'un arbre fou : faisceaux d'antennes oxydées réunies par de la ficelle, tubes anonymes enveloppés sur toute leur longueur dans du papier journal à l'aide de bracelets élastiques, fragments de durite emballés dans du grillage, bref.

Tout autour de la machine, un sillon avait été creusé dans le sol, puis comblé avec de la terre ; à sa surface affleuraient de grosses boîtes en fonte aux trois quarts enfouies, d'où s'échappait une multitude de fils électriques qui s'accrochaient au cylindre à la façon d'un lierre et tramaient autour de lui un réseau très fin remontant jusqu'à hauteur des pseudopodes, qu'ils semblaient avoir pour fonction d'alimenter. Par épissures, dérivations diverses, tous ces fils aboutissaient en fin de parcours à un câble épais et gainé, lui-même branché à un petit parallélipipède cubique et clos, d'un noir mat, émettant un léger ronflement. Disposé à quelques mètres de l'ensemble, ce dernier objet semblait fermer le circuit, sans indiquer pour autant s'il en était la source ou l'embouchure, l'a ou le z, le tenant ou l'aboutissant.

Byron Caine regardait sa machine. Cette accumulation d'objets divers agglutinés sur un cylindre choquait à première vue par son apparence désolante d'objet inachevé. Mais cet inachèvement était si flagrant, si insistant, si parfait en tant qu'inachèvement, que l'on pouvait penser qu'il constituait le principe même de la machine, qu'il en était la fin en soi ; et, dans ces conditions, la perfection de son inachèvement rendant l'objet achevé puisque inachevé, on pouvait le supposer fini, prêt à fonctionner, fonctionnant même peut-être déjà ; on pouvait considérer que dès lors toute amélioration que l'on apporterait à la machine ne saurait plus consister qu'en un perfectionnement de son inachèvement même. Quoi qu'il en fût, il était très difficile de déterminer sa fonction. Byron Caine saisit un tournevis à manche isolant et entreprit de fourgonner dans l'articulation d'un pseudopode, semblant prêter l'oreille aux variations du ronronnement qu'émettait le petit cube noir.

Il travaillait ambigument, alternant des séquences de gestes menus, précis, habiles, avec de longues phases d'immobilité hésitante et tendue d'où émergeait, parfois, l'ébauche vive d'un mouvement, aussitôt retenu ; il considérait longuement l'appareil, comme s'il ne comprenait plus rien à son principe, puis se ruait brusquement sur lui et l'entreprenait fébrilement par dix endroits à la fois. Il besogna ainsi pendant trois ou quatre heures. Ensuite, il alla chercher dans son réduit une boîte de choucroute en conserve qu'il ouvrit et vida dans une assiette sale, laquelle assiette il déposa précautionneusement sur le cube ronfleur.

Lorsque la choucroute se mit à bouillir, il l'ôta de son support et se mit à manger lentement, par grosses bouchées, en mâchant régulièrement, comme s'il se forçait ; il se forçait. Il regagna ensuite son réduit, tira une couverture sur lui, s'y enroula et s'endormit. Il fit un cauchemar ; il tombait. Il tombait interminablement. Il sentait son corps qui tombait.

Il s'éveilla en sueur. La flamme de la lampe avait baissé. Il se leva, rajouta du pétrole, reprit son tournevis. Il avait un goût horrible dans la bouche. Il était fatigué. Il était minuit.

16

Au même instant, Théo Selmer regarda sa montre qui marquait midi dix. Il monta dans l'avion de midi vingt-cinq sans autre bagage qu'un vieux Gaffiot qu'il portait sous son bras. Il s'assit à l'arrière de l'avion, ouvrit le dictionnaire à la première page et lut avec application les sept colonnes de texte qui concernent la préposition *ab,* puis quelques articles qui suivaient. Comme il abordait la préposition *ad,* l'avion se mit en mouvement. Selmer ferma son livre et regarda par le hublot le sol qui s'éloignait.

Au bout d'une heure, il se leva et marcha vers l'avant de l'appareil, le livre toujours sous le bras. Comme il approchait de la porte de la cabine, une hôtesse lui demanda ce qu'il voulait.

— Une surprise, dit Selmer en souriant, je voudrais voir le pilote. Figurez-vous que c'est un ami à moi, il ne sait pas que je suis là.

— Ce n'est pas possible, dit l'hôtesse, il faut attendre l'escale.

Selmer lui fit signe de patienter un instant et se mit à feuilleter son Gaffiot jusqu'aux alentours de la page 430, y laissant découvrir la présence d'un pistolet automatique Heckler & Koch que Carrier lui avait offert avant son départ en échange du Rossi et du Llama qu'il jugeait

102

inappropriés à l'expédition. L'arme était ingénieuse, allemande et démontable ; elle se constituait d'une crosse
unique et de quatre canons interchangeables de différents
calibres qui gisaient épars au fond du dictionnaire, Selmer
n'ayant pas jugé utile d'avoir l'air trop menaçant. Il présentait le livre ouvert sans agressivité, mais non sans
cérémonie, comme s'il offrait des chocolats, ou comme un
maître d'hôtel rompu à l'ouvrage présente un plat à des
mangeurs avant d'administrer les rations. L'hôtesse eut
un soupir et laissa le passage.

— Je vous assure que c'est un ami, répéta Selmer,
la main sur la poignée. Vous n'avez rien à vous repro-
cher.

Il entra, elle derrière lui. Les conducteurs d'avion se
retournèrent ; l'un avait une quarantaine d'années, l'autre
une cinquantaine, mais ils se ressemblaient beaucoup et
ressemblaient beaucoup également aux pilotes que l'on
voit dans les bandes dessinées ou dans les films de guerre
américains.

— C'est vous, Selmer ? fit le plus jeune. Un ami de
Carrier, ajouta-t-il à l'adresse du plus vieux.

— Ah, fit le vieux.

— Vous voyez, dit Théo à l'hôtesse, ils me connaissent même tous les deux.

Elle se détendit, offrit à boire. Le quinquagénaire se
tourna vers Selmer. Il avait l'air moins occupé que son
cadet, mais aussi plus usé.

— Comment va Lafont ? demanda-t-il.

— Il est mort, dit Selmer.

— Pas un métier pour lui, dit l'aviateur. Plus on est
grand, plus on est exposé. Et le petit Albin ?

— Il est mort aussi, dit Selmer.

— Tout fout le camp, fit le quinquagénaire en se
tournant vers ses cadrans.

— Où est-ce qu'on va ? s'enquit le quadragénaire.

L'avion volait au-dessus des nuées, dans une lumière

absolue. Selmer regardait l'espace autour de lui. Il n'était pas pressé que cela s'arrêtât.

— Continuez tout droit, dit-il. Je vous montrerai.

— Dites-moi au moins où on se pose, insista le pilote, rapport au kérosène.

— Ne changez rien pour moi, dit Selmer, juste une petite escale supplémentaire en fin de parcours. Vous me déposez et vous repartez. Rien qu'un petit détour au-dessus du Pacifique.

— Il suffisait de le dire, bouda le quadragénaire.

— Travail tranquille, fit le quinquagénaire en contrepoint. Ça ne vous tente pas de faire sauter l'avion ?

— Je n'y tiens pas, dit Selmer. Et puis je ne saurais pas comment m'y prendre.

— Ça n'est pourtant pas bien compliqué, maugréa le semi-séculaire.

Du temps passa. L'avion volait toujours très haut, le soleil envahissait la cabine sans qu'aucun nuage s'interposât pour altérer son rayonnement. Selmer était assis derrière les pilotes, il avait posé son livre. Il regardait toujours l'espace immobile, la lumière. Puis il vit le soleil se rapprocher lentement des nuages et s'y enfouir, et la lumière se transforma. Il regarda sa montre, elle indiquait sept heures. L'hôtesse apporta des repas sur des plateaux. Le quadragénaire se leva en dépliant des cartes.

— Montrez-moi où c'est.

— Les îles Midway, dit Selmer.

— Là, fit le pilote en posant son index sur une carte.

— Au sud des îles Midway, il y a un petit îlot tout en longueur. Toutes proportions gardées, il a exactement la forme d'une allumette. C'est simple, c'est un terrain d'aviation avec de l'eau autour.

— Tiens, dit le pilote, je ne connais pas.

— On dit que ça existe. C'est un ancien alignement de récifs que les Américains ont nivelé et bétonné pendant

104

la guerre. Il paraît que ça peut encore servir. Si on atterrit sans difficultés, je suppose que vous pourrez repartir ensuite.

— Oui, dit le pilote, en principe on peut se servir du même terrain. C'est le côté économique de l'aviation.

— J'espère que ça ne vous ennuie pas trop de me déposer, s'inquiéta Selmer, je pourrais prendre un parachute mais j'avoue que ça m'ennuierait.

— Mais pas du tout, protesta le pilote.

— Vous êtes bien aimable, dit Selmer.

Durant tout le voyage, qui dura deux jours, leurs rapports ne se départirent pas de la même uniforme affabilité. Puis, le moment venu, après que l'hôtesse eut dit n'importe quoi aux passagers d'un ton tranquillisant pour justifier l'escale, l'avion s'enfonça mollement dans les cirro-stratus.

Le vieux terrain américain tenait toujours. Ils firent une course folle sur toute la longueur de l'étroite bande grise et s'immobilisèrent à vingt mètres de la mer, au centre d'une aire circulaire ménagée à l'extrémité de la piste pour permettre aux appareils de manœuvrer. Le pilote actionna l'ouverture de la porte, le steward jeta une échelle de corde, et Selmer descendit après avoir remercié tout le monde.

Le sol de la piste était composé de grandes dalles de béton juxtaposées comme un gros jeu de construction primitif, et recouvertes d'une fine couche de sable que le vent marin soulevait en légères colonnes tourbillonnantes. L'îlot n'était constitué que de ce long ruban horizontal et nu, édifié à trois mètres au-dessus du niveau de la mer. Aucune construction ne s'y trouvait, ni le moindre repère, pas même un signe peint sur le sol. Seules de vieilles taches brunes d'huile ou de cambouis, incrustées dans le béton comme un filigrane dans un billet de banque, témoignaient d'une activité lointaine.

Le steward tira l'échelle, la porte se ferma, et les

réacteurs se remirent à bruire. L'appareil vira sur ses énormes pneus avec une lenteur disproportionnée à sa taille, et Selmer reconnut cette sensation de patience obtuse et obstinée, vaguement liée au sentiment du temps perdu, qu'il éprouvait toujours en regardant les avions manœuvrer au sol, poussant devant eux leurs longs museaux butés. Les moteurs s'amplifièrent, et la masse volante repartit pesamment dans l'autre sens, comme une enclume, après s'être tournée à la façon d'un tracteur au bord d'un champ, dans le temps qui sépare la fin d'un sillon du début d'un autre.

Selmer regarda l'avion s'amenuiser sur la piste, de part et d'autre de laquelle s'écrasait parfois une vague plus haute dans un jaillissement d'écume, une éclaboussure blanche et iodée. Les roues de l'appareil se détachèrent du sol juste à la limite de l'océan, puis se recroquevillèrent lentement, se fondirent dans le fuselage, et l'avion retrouva sa vraie forme d'avion. Le soleil se réverbérait dans l'eau avec violence ; Selmer faillit fermer les yeux, mais se contraignit à les garder obstinément fixés sur l'appareil jusqu'à ce qu'il ne fût plus qu'un point ; et puis son regard le brûla, il ferma les paupières, ne perçut plus rien que le bruit de l'océan.

Il rouvrit les yeux. Aussi loin qu'ils portaient, tout autour du terrain vide, il n'y avait que la mer, bornée par l'horizon circulaire. On ne peut pas être plus seul, pensa-t-il, et il se sentit seul, et bien mal équipé pour survivre sur l'inhumain rectangle, à supposer qu'il s'agît d'y survivre, et qu'il s'y résignât : un dictionnaire de langue morte aux trois quarts inutilisable, un pistolet perfectionné, ses vêtements. Il fouilla machinalement ses poches, dont le contenu était resté le même depuis plusieurs semaines, et s'aperçut alors qu'il n'était pas tout seul.

Ecarquillant les yeux, il distingua une silhouette immobile, très loin, à l'autre bout de la piste, à peine perceptible, presque absorbée par la mer et le ciel qui dévoraient l'espace. En accommodant son œil à la lumière et à la distance, il put apercevoir un homme vêtu d'un costume blanc, avec des lunettes noires et des cheveux blonds, plus jaunes que blonds. L'homme agita le bras, se pencha vers l'eau et disparut. Selmer s'engagea sur le long terrain étroit, à nouveau seul dans ce décor qui devenait théâtral à force d'être maritime.

Il marcha longtemps, jusqu'à l'autre bout de la piste, au contrebas de quoi l'attendait l'homme aux cheveux jaunes, flottant au volant d'un gros hors-bord. Il avait enlevé ses lunettes noires dont il grignotait une branche.

— Sautez donc, dit-il.

Selmer sauta et s'installa à côté de lui. L'homme aux cheveux jaunes remit ses lunettes et démarra ; l'avant du hors-bord se souleva et se mit à scier l'eau en ligne droite, à toute allure et dans un bruit indescriptible. Selmer s'enfonça dans son siège. Les lunettes noires se tournèrent vers lui.

— Je m'appelle Arbogast, crièrent les cheveux jaunes.

Quelques heures plus tard, ils étaient arrivés. Le lendemain, Arbogast fit visiter l'île à Selmer.

107

17

— Tu as bousillé ton manteau, avait dit Raph.

— J'en achèterai un autre, avait répondu Buck.

— Tu devrais le prendre foncé, comme moi. C'est mieux.

— Je préfère les tons clairs.

— Ecoutez, avait fait Pradon en toussotant pour défroisser sa voix.

Buck s'était retourné, posant un coude sur le dossier de son siège et un œil sur Pradon. Il n'était pas très grand et plutôt sec, avec des angles. La Volvo bleue descendait l'avenue de la Grande-Armée vers la Défense, après un détour chez Raph, rue du Colonel-Moll, où l'on avait séquestré le subalterne. Buck et Raph n'avaient pas échangé plus de cinquante mots pendant ce trajet, et Marc-Aurèle Piove n'en avait pas émis plus de six.

— C'est le monde à l'envers, annonça Buck. Maintenant, c'est vous qui travaillez pour nous.

— Je ne comprends pas, dit Pradon.

— Vous ne nous avez pas mis sur la nouvelle affaire, dit Raph, ce n'est pas correct.

— Attendez, dit Pradon, quelle affaire ?

— Cette histoire de projet Prestidge.

— Je ne vois pas, répéta Pradon, je ne comprends pas.

108

Voilà mon métier, pensa-t-il : dire que je ne comprends pas.

— Ce n'est pas bien, insista Raph. Nous avons toujours été des collaborateurs réguliers, et voilà que vous engagez cet aveugle à notre place. C'est mal.

Il regardait Pradon avec une expression de confesseur donnant la pénitence. Il avait un visage sévère et onctueux à la fois, décoré de lunettes sans monture, et qui s'accordait mal à son thorax ; il semblait le résultat fortuit d'une erreur d'assemblage, comme si l'on avait monté par distraction une tête de prêtre sur un corps de lutteur.

— Je ne comprends pas, s'obstina Pradon, fidèle à un certain esprit de système. Et même si cela était, ça n'aurait rien d'irrégulier. Autant que je sache, Haas n'a pas signé de contrat d'exclusivité avec vous.

— C'est une question de principes, observa Raph.

— Et l'Australie ? enchaîna Buck. Qu'est-ce qui se passe au juste en Australie ?

— Mais je ne sais pas, fit Pradon avec un étonnement authentique. Rien, je suppose. Comme d'habitude. Mais quoi, l'Australie ? Quelle Australie ?

Buck se retourna sur son siège en haussant sinistrement ses commissures et soufflant un peu d'air par le nez, avec un regard de comédien qui joue le rôle qu'il jouait ; il se remit à regarder fixement la route devant lui.

— Ecoutez, s'essouffla Pradon, vous feriez mieux de laisser tomber, je ne comprends rien à ce que vous dites. Si je savais quelque chose, j'essayerais peut-être de me taire, mais là, je préfère vous le dire tout de suite, vraiment, je ne suis au courant de rien. Mais vous n'allez pas me croire, s'affligea-t-il.

— Mais si, dit Raph, ne vous inquiétez pas. Je sais bien que vous ignorez l'essentiel, mais vous devez connaître quelques détails qui nous manquent. Ce sera très rapide.

— Mais vous êtes fous, s'énerva Pradon, qui vous a parlé de cette histoire ?

— Vous renversez les rôles, dit Raph.

— Vous perdez votre temps, dit Pradon.

Ils avaient traversé Gennevilliers, dont les rues, comme à Paris, étaient vidées par les effets conjugués du dimanche et du froid, puis ils avaient rejoint l'autoroute du Nord. La Volvo roulait dans le gris ; loin devant elle, une tache de soleil se déplaça un moment sur le revêtement ; un rayon de soleil très fin se matérialisait dans l'air terne, comme un phare vertical, après s'être frayé un chemin par quelque interstice aléatoire, un instant dégagé de l'entassement compact des nuages. Marc-Aurèle Piove accéléra pour rattraper la tache et demeura un moment dans sa lumière, à sa vitesse, le temps de prendre l'équivalent solaire d'une douche, puis il accéléra encore et laissa la tache derrière eux.

Boudeur et rencogné, Pradon regardait le paysage. La tache disparue, un gris fer nivelait à nouveau les différences. Apparut une autre tache de lumière, assez éloignée de l'autoroute, à droite, qui baigna dans son parcours une usine au toit bleu vif dont la couleur éclata un moment dans la grisaille mate ; et la fumée blanche de ses cheminées, s'irradiant dans le soleil, prit au même instant une consistance neigeuse et mousseuse, un relief ; puis la tache s'enfuit et tout redevint plat. Un trompe-l'œil, pensa Pradon, un trompe-l'œil naturel.

La Volvo quitta l'autoroute à Roissy, emprunta un entrelacs de voies secondaires, traversa des villages vides et s'engagea enfin dans une allée privée aboutissant à une villa isolée au milieu des arbres.

Ils s'étaient installés dans une pièce du rez-de-chaussée ; il y avait des fauteuils, une cheminée ; Marc-Aurèle Piove alluma du feu. Ils parlèrent un moment. D'un côté comme de l'autre, leurs arguments n'avaient pas changé, et ils se bornèrent à répéter à peu près ce qu'ils avaient dit dans la voiture, en le développant un peu, à cause des fauteuils.

— Mais non, répétait Pradon, mais non. Que voulez-vous que je vous dise ?

Cela stagnait, s'enlisait. Finalement, Buck se leva et tira d'un sac de sport une paire de gants de boxe qu'il enfila silencieusement en considérant Pradon d'un regard percussif.

— Et voilà, fit Raph avec résignation, ça finit toujours comme ça.

— Est-ce qu'on ne pourrait pas s'arranger autrement ? proposa Pradon.

— Je crains que non, dit Raph.

Il fallut en passer par là. Cela dura deux jours qui parurent longs à tout le monde. Raph passa son temps à réfléchir au rez-de-chaussée pendant que Buck, dans la cave, brutalisait Pradon qui lâchait parfois quelque mot, quelque bribe. Marc-Aurèle Piove relayait alors Buck qui lui passait ses gants pour noter ce qu'avait dit le secrétaire ; mais cela ne suffisait jamais.

Au soir du second jour enfin, Pradon annonça qu'il avait changé d'avis. On s'était retrouvé au rez-de-chaussée, Marc-Aurèle Piove préparait du café. Pradon était affaibli et tuméfié. Il commença par dire qu'il n'avait aucune idée de ce qui se tramait en Australie ; Buck fit mine de remettre ses gants, mais Raph l'arrêta.

— Tout ce que je sais de l'Australie, dit Pradon avec vélocité, c'est que Caine devait y aller.

— Qui est-ce ? demanda Raph, et Pradon raconta tout ce qu'il savait de Byron Caine, soit finalement pas grand-chose, pas grand-chose qu'on ne sache déjà.

— Et Russel ? demanda Buck, et Pradon expliqua que Russel avait été engagé par Haas pour retrouver Caine et récupérer certains papiers.

— Le projet Prestidge, supposa Raph, et Pradon dit

111

que oui, que c'était ça, mais qu'il ne savait pas au juste de quoi retournait ce projet.

— Et Gutman ?

Pradon assura qu'il n'avait jamais entendu ce nom. Il insista beaucoup sur son ignorance ; d'abord, parce que c'était vrai ; ensuite parce qu'il pensait que Buck et Raph ne le croyaient pas ; enfin parce que ces deux raisons combinées lui faisaient entrevoir et craindre de nouveaux coups à l'infini. Raph le rassura.

— Ça va, dit-il, je vous crois.

— On vous croit, confirma Buck.

On se renfonça dans les fauteuils, s'échangea des sourires, s'offrit de l'alcool ; une pause. On causa encore un peu, mais de tout autre chose, puis, sur un signe de Raph, Marc-Aurèle Piove qui se tenait derrière Pradon lui cogna la tête à l'aide d'un tuyau de plomb enveloppé dans une nappe. Pradon tomba par terre ; Buck et Raph se levèrent.

— Allons-y, dit Raph, peut-être que ça vaut la peine.

Buck et Marc-Aurèle Piove avaient mis un peu d'ordre pendant que Raph sortait pour fermer les volets ; puis ils étaient remontés dans la Volvo, abandonnant la villa verrouillée qui recouvra progressivement le silence, pendant que s'estompaient dans le lointain les harmonies du moteur suédois.

Avant de retrouver l'autoroute, ils s'arrêtèrent dans un village, devant un bar-tabac-épicerie-journaux. Raph entra et demanda un téléphone pour Paris. Comme il n'y avait pas de cabine, il dut appeler du comptoir, bouchant son oreille libre avec son doigt car ce comptoir comptait plusieurs aborigènes rougeauds, éméchés et tonitruants. Il composa le numéro du Lutetia et demanda la chambre de Russel.

— C'est Raph, annonça-t-il. Sans vouloir m'ingérer dans vos affaires, ça vous intéresserait peut-être de savoir où se trouve le secrétaire de Haas ?

— Dites toujours, fit Russel.

— Il est dans une maison sur la départementale 47, à trois kilomètres de la sortie de Goussainville en direction de La Talmouse, sur la gauche.

— Ça va, je connais, dit Russel. C'est la maison d'Yvonne ?

— Oui, dit Raph, c'est chez Yvonne, je ne savais pas que vous la connaissiez.

— Dans quel état l'avez-vous laissé ?

— Nous n'avons rien dérangé, assura Raph.

— Je parle de Pradon, dit Russel.

— Oh, rien, fit Raph, il est juste un petit peu assommé, mais il est encore en état de marche.

— Merci, dit Russel, je vais m'en occuper. Mais, dites-moi, je ne savais pas que vous étiez sur cette affaire.

— Ma foi, dit Raph, ça n'a pas l'air inintéressant à première vue. On peut toujours essayer de voir. Et de votre côté, comment ça se passe ?

— Ça va, dit Russel, ça n'est pas mal payé.

— Eh bien je suis content pour vous, dit Raph. Je vais vous laisser, là. On aura peut-être l'occasion de se revoir bientôt, du même côté cette fois, j'espère, pas comme il y a deux ans.

— Sait-on jamais, fit Russel, vous vous défendiez bien il y a deux ans.

— Pas autant que vous, protesta Raph, et ils s'administrèrent encore quelques paroles cordiales comme on peut en échanger entre tueurs avant de se quitter. Russel raccrocha, décrocha et appela Haas.

— Ça devait arriver, dit Haas, je vous laisse conclure. Je vous envoie le chèque tout de suite.

Russel raccrocha et attendit le chèque. Le chèque arriva et Russel composa un nouveau numéro.

— Yvonne, dit-il, c'est Max. Il y a quelqu'un à Goussainville dont il faudrait s'occuper. Est-ce que Fred est là ?

113

— Il est là, dit Yvonne, je vais lui dire.

Un temps ; Yvonne revint.

— Justement, il n'a rien à faire, dit-elle. Il y va tout de suite.

— Parfait, dit Russel, je lui envoie l'argent demain.

18

Quelques semaines avaient passé et Paul était encore à Paris, chez lui, dans son lit, tout seul. Les rideaux de sa chambre étaient tirés, étouffant la lumière rationnée d'un début d'après-midi.

Le temps n'avait pas changé ; le soleil était une étoile morte. Son rayonnement provisoire, décroissant, s'efforçait laborieusement de s'infiltrer au travers d'une masse solide dont on renonçait à croire que de simples nuages empilés étaient l'origine, et qu'il s'agissait bien plutôt d'une sorte de pesanteur, d'épaississement irréversible de l'air. Il devenait chaque jour plus improbable qu'une étendue infinie pût exister au-delà de ce fragment contracté de l'atmosphère, et l'espace étriqué justifiait que sur lui on tirât les rideaux.

Paul ne dormait pas. Son esprit était occupé par différentes idées entre lesquelles il tentait d'établir une certaine hiérarchie, un ordre d'importance. En vain ; toutes lui semblaient équivalentes, sinon identiques, affectées d'une sorte de poids volumique constant, et, plus aucun déséquilibre ne pouvant alors les faire se choquer entre elles et se mouvoir, ces idées d'ailleurs banales flottaient, désamorcées, frappées à mort peut-être. Immobile, Paul s'efforçait de les ressusciter, les yeux fixés sur un rai de clarté pouilleuse qui s'acheminait péniblement entre les rideaux mal joints et avortait d'un reflet terne sur le renflement d'un sac de cuir posé sous la fenêtre.

Carrier était venu le voir quelques jours après leur rencontre dans le square. Il avait d'abord parlé d'Albin, puis du voyage de Paul, annonçant que l'un était défunt et l'autre différé. Paul s'était étonné que la mort d'Albin lui fît le même effet que celle de Lafont : une indifférence blanche, une sorte de fermeture ou de rétraction de l'émotion, et même, derrière, un soulagement. Spontanément, bien sûr, il s'attrista, mais d'une tristesse qui ne résistait pas longtemps à l'examen ; provoquée, non par la nouvelle elle-même, mais par le spectacle de cette affligeante absence d'affliction. Quant à l'inavouable soulagement tapi derrière tout cela, Paul l'attribua au sentiment que l'on éprouve en voyant disparaître un témoin de sa vie, ce témoin fût-il à décharge. Il avait observé un silence de circonstance.

— C'est navrant, avait dit Carrier, nous sommes tous navrés.

Puis ils parlèrent du voyage ; il était remis à plus tard. Paul demanda pourquoi. Carrier ne répondit pas. Paul fit observer que sa bonne volonté ne pourrait que croître si l'on voulait bien de temps en temps lui expliquer un peu à quoi tout cela servait.

— Il y a deux raisons qui me donnent le droit de ne rien vous dire, dit Carrier. D'abord, il faut préserver le secret, pas tellement d'ailleurs pour ne pas le dévoiler, mais pour qu'il continue à produire. Le secret, théorisat-il, n'est pas le dernier voile qui dissimule un certain objet au bout d'un certain parcours, il est ce qui anime la totalité de ce parcours. La ruse du secret, c'est de vous faire croire qu'il n'est qu'un masque, alors qu'il est un moteur. Et c'est ce moteur qu'il faut entretenir parce qu'il vous fait marcher. Si je vous révélais le moindre fragment de secret, vous n'en sauriez pas beaucoup plus et cela risquerait de casser quelque chose dans le moteur, personne n'y gagnerait.

— D'accord, dit Paul, assez sur ce sujet. Et la deuxième raison ?

— Quelle deuxième raison ? Ah oui. Eh bien, la banque Sobranie.

— Vous n'avez pas de preuves.

— Et alors, s'étonna Carrier, si je n'ai pas de preuves, pourquoi avez-vous travaillé avec moi jusqu'ici ?

— Parce que je suis un con, dit Paul.

— Mais voyons, protesta Carrier en se levant.

En mettant son manteau, il avait dit qu'il rappellerait. Après son départ, Paul avait tourné un moment dans la pièce en roulant des idées sombres, et ce double mouvement de rotation, psychique et topologique, l'avait amené à se coucher, et depuis il se levait très peu souvent.

Du temps avait passé, et Carrier ne se manifestait pas. De son lit, Paul surveillait toujours le rayon de lumière blafarde, près de la fenêtre, qui se déplaçait insensiblement. Imperceptible dans un premier temps, son mouvement devenait de plus en plus manifeste si l'on prolongeait l'observation ; et plus longtemps on regardait le déplacement de la lumière, plus vite elle semblait aller. C'était une de ces journées où l'on ne peut s'intéresser qu'à des choses comme celle-là, et encore.

Le fuseau de clarté grise rencontra sur son parcours le téléphone posé par terre qui se mit à sonner sur-le-champ, comme actionné par la lumière. Paul le laissa sonner plusieurs fois, se laissa glisser à plat ventre hors du lit et rampa jusqu'à l'appareil. Il le ramena entre ses draps comme on traîne un otage.

C'était Vera qui voulait venir, mais Paul dit qu'il était couché. Elle rit, dit qu'elle se coucherait aussi, mais Paul dit qu'il était malade. Elle proposa de le soigner, mais il la découragea : c'était une maladie sans thérapeutique. Tu n'as pas envie de me voir, dit-elle ;

117

ce n'est pas ça, dit-il. Alors elle lui imposa de raconter la suite de l'histoire, et Paul, d'une voix inégale, lui raconta ce qui se passait depuis le moment où Forsythe et Mac Gregor, les ongles arrachés il faut voir comment par les sbires de Mohamed Khan, se remettent de leurs émotions en organisant dans leur cellule des courses de blattes, pendant que le jeune Stone, initialement séduit par l'espionne Tania, trahit le vieux Stone — jusqu'au moment où, alors que l'assaut final s'engage, Mac Gregor s'évade de la geôle, animé du périlleux projet de faire sauter la réserve d'armes du maharadjah. L'entreprise est malaisée. Mac Gregor y parviendra-t-il ?

— Alors, fit Paul, y parviendra-t-il ? A ton avis ?

— Il en est capable, estima Vera, mais c'est dangereux. J'appellerai demain pour savoir.

— Pas trop tôt, dit Paul, je dors beaucoup en ce moment.

Après qu'il eut raccroché, il calcula le temps qu'avait pris son récit en fonction du parcours effectué par le sinistre rayon qui tombait des rideaux, et posa l'appareil sur un point de son trajet prévisible. Lorsqu'un peu plus tard le rayon recouvrit à nouveau le téléphone, celui-ci se mit à sonner derechef et instantanément. Paul conclut que l'appareil était vraiment photosensible.

— Vous partez demain matin, annonça Carrier. J'espère que vous êtes prêt.

— Si l'on peut dire, articula Paul.

Cinq jours plus tard, après un voyage en ligne brisée, Paul se retrouva à l'aérodrome d'une petite ville située dans la périphérie de Brisbane. De là, il se rendit au bureau de poste où l'attendait une enveloppe beige adressée au nom de Donahue, qu'il retira à l'aide d'un des passeports contenus dans le porte-documents en plastique noir. L'enveloppe contenait un billet de train à destination d'une autre petite ville nommée Toowoomba, au dos duquel était inscrite l'adresse d'un cinéma, le

Kursaal. Paul demanda au postier de lui indiquer le chemin de la gare.

A Toowoomba, il se rendit à l'adresse indiquée, mais à l'emplacement du cinéma il ne trouva qu'un vide, et des gravats par terre. L'absence de cet édifice formait un trou presque indécent dans la rangée d'immeubles bas, aussi choquant que l'absence d'une dent sur l'alignement luisant d'une mâchoire bien brossée. Un passant lui apprit qu'on avait démoli le Kursaal quelques semaines auparavant. Paul resta un moment immobile près du chantier ; il promenait doucement son regard autour de lui, comme pour prendre les environs à témoin de son désarroi. Il aperçut tout au bout de la rue un policier en uniforme neuf réglant un maigre trafic de longues conduites intérieures et de véhicules utilitaires. C'était le milieu de la journée, la chaleur était vertigineuse. Le soleil assenait sur l'est australien un déferlement blanc et pesant ; il semblait aussi proche du sol que le toit des immeubles. Paul retira sa veste, la jeta sur son épaule et marcha vers l'uniforme neuf. Le goudron fondait et collait à ses chaussures, démultipliant l'attraction terrestre.

Le policier était rasé de frais. Paul lui demanda, en anglais et sans espoir, s'il avait quelque idée de l'endroit où pouvait se trouver l'ancien propriétaire du Kursaal. Le policier découvrit deux rangées enfin intactes de dents blanches et désigna du pouce une énorme Norton garée sur le trottoir.

— C'est moi que vous cherchez, dit-il, je m'appelle Sam.

— Moi, c'est Blaise, dit Paul.

Il le suivit et monta à l'arrière de la motocyclette. Ils démarrèrent dans une clameur de sirènes, en soulevant sur leur passage de grosses bouffées de poussière jaune.

Le lendemain, ils survolaient l'océan Pacifique dans un avion-taxi de la même couleur que la poussière de Toowoomba. Pour piloter l'avion, Sam avait troqué son uniforme contre un pantalon de toile crème, une chemise imprimée à manches courtes et une casquette à très longue visière.

— Vous avez déjà sauté en parachute ?

— Jamais, répondit Paul.

— C'est comme moi, dit Sam, tout s'apprend. Il y a quinze jours, je n'étais jamais monté dans un avion.

— Qu'est-ce que vous faisiez ?

— J'étais en prison, expliqua Sam. Pour meurtre et incitation au meurtre. J'en avais au moins pour trente ans. Heureusement que vous êtes arrivé.

— Ne me remerciez pas, dit Paul. Vous connaissez bien Carrier ?

— Carrier ? répéta Sam.

— Le type qui m'a envoyé à Toowoomba. Vous devez le connaître.

— Je ne crois pas. Moi, le type qui m'a envoyé là s'appelle Parkinson. Vous connaissez Parkinson ?

— Ça ne me dit rien, dit Paul, je ne connais que Carrier.

— De toute façon, c'est le même type, dit Sam.

Paul se mit à rigoler, et puis Sam annonça qu'ils allaient arriver. Paul prit un parachute et écouta très attentivement tout ce que lui expliqua Sam concernant la façon de s'en servir. De cette hauteur, l'océan paraissait immobile ; seules quelques crispations d'écume marquaient fugitivement les mouvements et les reliefs des vagues. Bientôt ils aperçurent au-dessous d'eux une petite île au contour circulaire.

— C'est là, dit Sam. Préparez-vous, je vous ferai signe.

L'avion réduisit son altitude et se mit à tourner au-dessus de l'île. Sur les indications de Sam, Paul ouvrit une porte coulissante sur le flanc de l'appareil. Il jeta un regard vers le bas et recula vivement.

— Ecoutez, je ne sais pas si je vais pouvoir.

— Allons, fit Sam, Parkinson ne serait pas content.

— Je sais, dit Paul. Oh, je sais.

Il fit un rapide inventaire de tous les moyens possibles de mourir tout de suite, pour que jamais n'arrivât le moment de sauter. Il n'en trouva aucun qui pût lui convenir. D'ailleurs, il n'avait pas envie de mourir. Et puis, quitte à mourir, autant sauter. Ses idées étaient rapides et confuses. Il risqua un nouveau regard vers l'île ronde. Elle était là, juste là, sous lui. Il ferma les yeux.

— Allez-y, hurla Sam.

19

Abel mettait en ordre son placard. C'était un placard assez vaste, occupant la moitié d'une des trois pièces qu'il louait rue de Mogador, et comblé par un entassement de cartons récupérés aux galeries Lafayette. Ces cartons contenaient des choses dont Abel n'avait plus d'usage, mais qu'il ne pouvait se résoudre à jeter : vieux vêtements, vieux journaux, vieux ustensiles, et en règle générale toutes catégories de vieux objets, regroupés entre eux selon leurs caractéristiques ou leur chronologie. Quelques-uns de ces cartons ne contenaient que des récipients vides : tubes de médicaments, boîtes de cigares, pots de confiture, étuis et flacons, toutes sortes d'emballages unanimement vides, auxquels Abel tenait autant qu'aux pleins.

Une fois un carton constitué, étiqueté, ficelé, Abel ne l'ouvrait généralement plus. Echappaient néanmoins à cette règle certains d'entre eux, qu'il déballait parfois dans ses moments perdus, comme on revient plutôt à certains livres. Parmi ceux-ci, le carton à chapeau qu'il avait découvert dans la loge de Carla détenait maintenant un statut à part, qu'il devait d'abord à sa forme. Les autres cartons en effet, petits ou grands, cubiques ou rectangulaires, avaient au moins ceci en commun d'être de volume parallélipipédique, ce qui facilitait leur agencement et simplifiait le rangement du placard. Or le caractère cylindrique de l'écrin à couvre-chef conférait à celui-ci une certaine marginalité ; mais là n'était évidemment pas la raison essentielle.

Ce qui ramenait sans cesse Abel à l'examen de cet objet privilégié tenait d'abord à son incompréhensible contenu. Maintes fois il avait examiné le petit cube noir et pesant qui en occupait le fond, et jamais sans appréhension, car peu sûr de son innocuité. Aussi prenait-il soin de ne le manipuler qu'avec délicatesse, comme on fait d'une bombe, rien ne prouvant au fond que ce n'en fût pas une. Maintes fois également il s'était plongé dans le dossier joint au cuboïde ; il en fit même un temps son livre de chevet ; le soir, calé contre son oreiller, il étudiait le manuscrit, le reprenant méthodiquement chaque fois à la première page, et s'endormant sitôt la troisième tournée, sans avoir plus avancé dans la compréhension des chiffres, lettres, signes et schémas occultes qui s'étalaient sur le grimoire.

L'autre raison qui incitait Abel à rouvrir le carton résidait dans la mystérieuse connexion qui reliait cet objet à Carla. Abel avait dû aimer Carla, d'une façon ou d'une autre, et le contenu du carton à chapeau supposait un aspect inconnu de la vie de la jeune femme, dont, même après sa mort, il souffrait de se sentir exclu. Il aurait mieux supporté l'énigme s'il n'en avait eu qu'un écho, qu'une rumeur toujours incertaine, mais il en était le possesseur, dépositaire d'un secret concernant Carla qui se livrait et se dérobait à lui en même temps, comme elle en quelque sorte, comme elle avait toujours fait.

Une autre chose encore l'éprouvait, plus cruelle et moins avouable. Comme il l'avait décidé, Abel avait réuni les affaires de Carla dans un autre emballage qu'il avait ramené chez lui et également rangé au cœur de son placard, mais dont le voisinage forcé avec le cylindre établissait entre eux une constante intimité qui échappait à Abel, dont il mesurait mal la portée, et qu'il s'en voulait un peu d'encourager. Trouver ces deux paquets réunis dans son propre placard lui faisait concevoir d'absurdes mais pénibles soupçons ; il lui semblait entretenir un adultère sous son toit, et se reprochait à la fois sa complaisance et l'étrange jalousie qu'il éprouvait à l'égard de ces deux objets qui comptaient parmi les plus inanimés qui soient, sans même le recours de pouvoir plaquer un visage humain sur son cylindrique et cartonneux rival.

Abel s'occupait donc à ranger son placard, à ce point encombré par les cartons qu'il devait agir avec méthode, usant au mieux de l'espace vacant pour les déplacer l'un après l'autre. Cette activité lui rappelait le jeu du taquin où des jetons carrés, marqués d'une lettre et disposés en vrac, glissent sur les rainures d'une tablette, la tâche du joueur étant de rétablir leur succession alphabétique en s'aidant de l'unique case vide qui permet à ces jetons de se mouvoir. Abel tira, poussa, déplaça quelques emballages contenant successivement des effets militaires, des souvenirs d'enfance, des sacs contenant d'autres sacs, quelques lots de boîtes vides, des robes de sa femme morte en 1965 et qui se prénommait Liliane, et derechef il se trouva face au carton à chapeau.

Se proposant de l'inspecter une nouvelle fois, il en retira successivement le dossier et le cube, qu'il replaçait toujours dans leur arrangement initial, le cube reposant toujours sur la même face, repérable à sa couleur, d'un noir moins opaque que les autres.

Il l'examina encore, sans grand espoir. Il l'avait jusqu'ici scruté, effleuré, flairé, massé, léché même, observé à la loupe ; l'idée lui vint d'y coller son oreille. Il ne se pouvait pas que dans tous ces cartons pleins de choses diverses vînt à manquer un stéthoscope ; Abel fouilla, trouva, bien sûr.

Les écouteurs plantés dans ses oreilles lui faisaient un

peu mal au cartilage. Il posa la partie réceptive du stéthoscope sur une face du cube et se rappela l'espace d'un instant combien, enfant, la membrane cerclée d'acier et de caoutchouc brun était glacée sur sa poitrine pendant les visites médicales, dans les infirmeries d'écoles aux murs hauts et froids dont le blanc cassé s'écaillait, mais passons. Il ausculta successivement les cinq faces découvertes, en vain. Renversant l'objet, il appliqua la membrane sur sa base, frémit ; cela vibrait.

Cela vibrait nettement. Abel prit peur et reposa vivement l'objet sur sa base ; cela ne vibra plus. Il passa un doigt sur son front, puis répéta l'opération, très vite et très délicatement, et cela vibra encore et cela ne vibra plus. L'appareil vivait ; la découverte était de taille. Abel reprit son souffle et se ménagea un délai. Il alla dans la cuisine, fit réchauffer du café froid, regarda par la fenêtre sans absolument rien enregistrer de ce qu'il y pouvait voir, alla pisser, revint.

Au bout d'une demi-heure d'expérimentation, Abel savait : que l'objet ne vibrait que lorsqu'on le posait sur une autre face que sa base habituelle ; que le stéthoscope ne servait à rien, on entendait mieux en collant son oreille ; que la vibration tendait à croître nettement au bout d'un certain temps, jusqu'à devenir perceptible à un mètre de distance, peut-être plus ensuite mais Abel avait nerveusement mis fin à l'essai.

Tout cela n'expliquait rien. On pouvait lever des armées d'hypothèses. Mais Abel avait moins le souci de comprendre, maintenant, que celui de lutter contre une appréhension. Ce vibrant crescendo l'inquiétait ; on ne sait jamais où s'arrêtera un crescendo.

Ce fut rapide. Il remballa le matériel, mit son manteau et sortit, la chose sous le bras. Il était tout à fait temps de s'en débarrasser. Quant à savoir qu'en faire, lui vinrent des idées pendant qu'il descendait l'escalier : les objets trouvés, la Seine, une porte cochère, une cabine

125

téléphonique, une poubelle, rien de convaincant. Il fallait réfléchir un moment. Il entra dans le bar qui rez-de-chaussait son immeuble et se mit au comptoir.

Il demanda un 51. Le garçon apporta l'anis et versa un étroit filet d'eau dans le verre où se forma un précipité opaque et opalescent.

— Noyez-le, dit Abel, j'ai un peu soif.

Le garçon remplit le verre à ras bord et le précipité se dilua, perdant son épaisseur et son mystère. Abel le vida à moitié et demeura pensif, l'œil fixé sur l'étain mat et rayé du comptoir, où il posa des pièces avant de sortir.

Du fond de la salle, Carrier le regarda s'en aller, puis il se leva et quitta le bar à sa suite, marchant derrière lui à une centaine de mètres. Le ciel se dégageait, du soleil tomba sur le trottoir d'en face. Abel traversa pour rejoindre la lumière, Carrier aussi, sans quitter des yeux le paquet.

Ce paquet, Abel le passait souvent d'un bras sous l'autre, encombré par son faix comme par une prothèse. Il marchait sans but précis, la perspective d'en être bientôt délivré lui procurant une satisfaction qui l'empêchait d'envisager les modalités pratiques de cette délivrance. Il marchait en attendant que spontanément l'idée lui vienne.

Il marchait, marchait, toujours encombré de l'accessoire, traînant Carrier à sa suite tout au long de la rue Lafayette dans la direction de l'orient. Deux cents mètres avant Stalingrad, il prit à droite par la rue Louis-Blanc et rejoignit le canal Saint-Martin, bordé de quais et de bancs sur ces quais. Il s'assit sur un banc, posa l'objet, prit un repos. Derrière lui, Carrier hésita un instant, alentissant sa marche le temps d'une décision, puis marcha à son tour vers le banc et s'assit près d'Abel.

Le carton les séparait. Carrier tira de sa poche un journal, le déplia et feignit de lire, bien qu'il fît beaucoup

126

trop froid pour lire un journal sur un banc. Par-dessus son épaule, Abel jeta un regard sur les titres. Carrier en profita pour s'exclamer sur la qualité du froid. Abel approuva. Carrier laissa un temps, puis, sans lever les yeux de son journal, fit observer que, malgré le soleil, cela pouvait être un temps de neige. Abel réfléchit en regardant l'eau du canal, et objecta qu'il faisait peut-être un peu trop froid pour qu'il neigeât, mais que l'hypothèse n'était pas à exclure. Carrier fit une comparaison avec l'hiver de l'an passé. Abel invoqua la clémence du dernier automne. Carrier ne répondit pas, attentif à son voisin de banc comme un pêcheur à son bouchon, et il crut voir le bouchon qui plongeait en entendant Abel parler encore ; cela concernait un titre du journal. Abel émettait une opinion. Carrier abonda dans son sens. Ils se tournèrent l'un vers l'autre, dans un mouvement synchrone. Alors ils se considérèrent. Ils faisaient connaissance.

Avant toute chose, Carrier chercha du regard un café où s'abriter de la rigueur du climat. Derrière eux, tout proche, s'offrait un établissement dénommé Bar du Sporting.

20

Arbogast avait converti Théo Selmer au style de vie qu'il menait sur l'île depuis son arrivée. Réduisant à l'essentiel ses relations avec le palais, Arbogast passait son temps à se déplacer d'un blockhaus à l'autre sous le moindre prétexte, à moins qu'il ne courût les archipels voisins sur son hors-bord. Selmer mit quelques jours à comprendre en quoi consistait leur travail, puis, dans un second temps, comment Arbogast concevait ce travail. Il n'émit aucune objection avant de comprendre, et moins encore après qu'il eut compris, ce qui simplifia sensiblement leurs relations.

En revanche, ce fut immédiatement qu'il apprit à se méfier des casoars. Il y en avait quelques-uns dans l'île et il les aperçurent le jour de son arrivée, autruches factices errant aux abords du marais. Selmer avait voulu s'approcher d'eux pour mieux les voir, mais le plus grand des casoars, qui paraissait le chef, s'irrita de l'intrusion et se rua brutalement vers lui. Selmer s'enfuit en courant, sans parvenir à distancer l'énorme oiseau galopant à ses trousses comme un cheval emballé. Comme le casoar rattrapait Selmer et s'apprêtait à l'abattre d'un coup de pied onglé, Arbogast fusilla le volatile, qui produisit en s'effondrant un couinement glaçant, et dont le cadavre continua de rouler un moment sur les pas de Selmer, emporté par son élan anthume. Effrayés par la détonation, les autres casoars, qui avaient suivi la scène avec flegme et sans esprit partisan trop manifeste, s'essaimèrent dans le couvert des arbres. Selmer revint sur ses pas, essoufflé et penaud.

— Ça commence bien, dit-il.

— Il faut se méfier des casoars, commenta Arbogast, ils sont infréquentables. Heureusement qu'on peut les manger. Celui-là tombe bien, il est midi passé.

Ils allumèrent un feu, firent rôtir la bête.

— Ça n'a pas été trop dur pour s'adapter ? demanda Selmer en mangeant.

— Etant jeune, dit Arbogast, j'ai lu *Walden* et *Le Robinson suisse*. J'en avais gardé quelques souvenirs, ça m'a un peu aidé.

Après leur repas, ils transportèrent les débris du casoar sur une fourmilière, puis revinrent s'étendre près du foyer éteint, à l'ombre des arbres-bouteilles. Ils dialoguèrent un moment, paisiblement, s'assoupirent, et une heure s'écoula dans un repos repu. Puis Selmer ouvrit un œil.

— Qu'est-ce qu'on fait ? s'ébroua-t-il subitement.

Arbogast émergea et se souleva à moitié sur son coude.

— Comment, qu'est-ce qu'on fait ? Vous n'êtes pas bien, là ?

— Si, très bien, dit Selmer, mais je croyais, je ne sais pas.

Arbogast se rallongea et resta un moment silencieux.

— Eh bien, on pourrait aller se baigner, peut-être, suggéra-t-il enfin. Il y a un petit coin de sable au bord de l'eau, pas loin. Vous n'avez pas envie de vous baigner ?

— Il n'y a rien d'autre à faire ?

— Je ne vois rien d'autre.

Plus tard, ils se laissaient sécher par le soleil, étendus sur de vastes serviettes-éponges qu'Arbogast était allé chercher dans le blockhaus le plus proche de la plage.

Il essuyait d'un coin de serviette ses lunettes noires, qu'il avait enlevées pour nager, et regardait les vagues en clignant des yeux, d'un regard de myope. Il eut un rire furtif.

— De vraies vacances, hein ?

— De vraies vacances, reconnut Théo.

Ils passèrent ainsi l'après-midi sur la plage, puis ils se levèrent, et, d'un commun accord, ils marchèrent vers l'ouest. Dès le premier jour, ils avaient à peu près tout fait d'un commun accord. Selmer avait accepté d'emblée ce que proposait Arbogast, puis, quand il fut un peu familiarisé avec la situation, il se mit à formuler lui-même des propositions qu'Arbogast accepta à son tour. Tout cela marchait très bien. Évidemment, Arbogast s'était ému les premiers temps en apprenant qu'on lui envoyait quelqu'un pour l'assister. Il se méfiait, craignant que le nouvel arrivant fût trop zélé, trop scrupuleux à l'égard de la tâche impartie par Carrier, qu'il voulût trop en faire. L'homme aux cheveux jaunes, à qui était en principe confiée la défense de l'île, profitait de la liberté qui lui était accordée pour y vivre de la seule façon dont il pensait qu'on pût vivre sur une île déserte, considérant au reste sa fonction, ses supérieurs hiérarchiques, ses voisins du palais et d'une manière générale l'ensemble de la situation avec un parfait dédain. L'île ne l'intéressait véritablement qu'en tant que terrain de jeu, et il donnait le change en enveloppant ses activités dans le secret, assumant par principe la rédaction d'un bref rapport hebdomadaire qu'il communiquait à Tristano ou à Joseph d'un ton pressé, et dont la préparation le contraignait quand même à trouver ou inventer quelques informations. Il comprit très vite que Théo Selmer ne le gênerait pas dans sa conception minimaliste du travail.

Lorsqu'ils étaient arrivés au blockhaus ouest, l'après-midi s'achevait et le soleil vermillonnant s'apprêtait à plonger au vu de tous. Arbogast entra dans le blockhaus et ressortit avec un petit magnétophone et une boîte de bandes magnétiques.

— De la musique de chambre, dit-il, c'est ce qui va le mieux avec les couchers de soleil.

Il prit un quatuor de Schubert et disposa la bande sur l'appareil. C'était un petit magnétophone italien de mauvaise qualité, en matière plastique blanche, avec des touches multicolores qui lui donnaient l'air d'un jouet. Arbogast pressa la touche verte. La musique était lente, un peu distordue, approximative ; la faible puissance de l'appareil empêchait de distinguer les instruments séparément, mais n'altérait pas le sens général du quatuor, malgré un léger pleurage.

— Le son n'est pas très bon, dit Arbogast, mais ça me suffit pour ce que j'en fais.

Ils regardèrent l'astre s'approcher de son reflet, se confondre avec lui, s'amenuiser et se dissoudre, et ils virent encore, après qu'il eut disparu, ses derniers rayons fuser par-dessus l'horizon, de l'autre côté de la sphère, et faiblir. S'installa l'état intermédiaire entre jour et nuit, entre chien et loup, inconfortable entracte, métamorphose insensible et fuyante de la lumière. L'espace semblait se contracter tout en s'opacifiant, comme s'il imposait aux corps, aux objets, le franchissement d'un passage trop étroit pour eux, mais auquel ils ne pouvaient se soustraire, contraints de forcer cette voie resserrée, rétrécie, quoique purement abstraite puisqu'on ne peut mobiliser aucun muscle contre elle, cette fraction du temps n'offrant pas plus de prise que les autres, rien que l'on puisse toucher ou repousser, rien que l'on puisse pétrir.

Vint la nuit, et avec elle cessa cet effet astringent du crépuscule. L'espace nocturne revint s'étaler comme une mer montante, se dilater comme le jour lui-même, réclamant tout au plus un léger effort d'adaptation, une disposition d'esprit un peu différente. La nuit liquide baignait maintenant les corps d'un élément plus doux, plus maternel, au sein duquel les angles semblaient moins acérés, quels qu'ils fussent.

— La nuit amortit les choses, dit Selmer quand Schubert se fut tu. La seule fois que j'ai dû tuer des gens, je l'ai fait pendant la nuit. Je ne crois pas que j'aurais pu faire autrement.

— Tiens, vous avez tué des gens ? fit Arbogast en retournant la bande. On ne me l'avait pas dit.

Et Selmer raconta l'histoire des trois Américains.

— Ça n'était pas très difficile, conclut-il.

— Rien n'est difficile, dit Arbogast. Ici non plus, ce n'est pas difficile. Il suffit d'attendre.

— Attendre quoi ?

— Je ne sais pas, que Gutman attaque, par exemple.

— Et s'il attaque ?

— Nous verrons. Nous verrons ce que nous pourrons faire.

— Et quoi d'autre ?

— Rien, dit Arbogast. Si, autre chose : je suis sûr qu'un stock de matériel militaire est caché sur cette île, du vieux matériel, qui date de la guerre. Des armes ou des explosifs, je ne sais pas exactement. Il y en aurait des tonnes, paraît-il. Voulez-vous m'aider à les chercher ? Vous imaginez ce qu'on peut faire avec des tonnes d'explosifs, ajouta-t-il sur un ton ludique.

Théo se mit à rire. La musique avait cessé. La bande magnétique tournait à vide sur l'appareil, comme emballée. Arbogast appuya sur la touche bleue ; la machine se calma.

Il faisait tout à fait nuit, maintenant. Ils s'en furent se coucher.

21

Russel descendit de l'avion et huma l'air océanien. Une hôtesse le guida jusqu'à la sortie de l'aéroport, où quelqu'un d'autre le prit par le bras sans un mot, l'entraîna vers une voiture et lui enjoignit de monter. Russel reconnut la voix de Buck et se laissa faire.

La voiture démarra ; Russel était seul à l'arrière. En explorant du bout des doigts l'espace environnant, il constata que les poignées intérieures des portières avaient été retirées, les glaces relevées, et qu'une vitre épaisse et percée de petits trous le séparait du conducteur. Buck avait mis la radio qui diffusait des informations locales sur fond de Beach Boys. Russel frappa à la vitre, Buck baissa la radio.

— De quelle couleur est cette voiture ?

— Il n'y a que le moteur qui compte, dit pragmatiquement Buck.

— Moteur Plymouth six chevaux usé, supposa Russel.

— Vous avez de l'oreille, confirma Buck.

— Vous en auriez autant à ma place, dit Russel. Mais la couleur ?

— Jaune, dit Buck. Avec un intérieur vert.

— Merci, dit Russel.

Et il se tassa sur la banquette, ferma les yeux et

s'endormit. Lorsqu'il se réveilla, la voiture était arrêtée, Buck n'était plus là. Il écouta.

Il devait être à la campagne. Il reconnaissait le fond sonore ininterrompu de la campagne, où les babils d'oiseaux, les frissons des feuillages et l'entrechoc des branches se croisaient aux cris d'animaux domestiques et aux bourdons d'insectes pour tisser une trame de bruits, légère et tenace à la fois, trouée de temps en temps par un silence qui, dans un tel contexte, prenait une allure de bruit. Ces silences ruraux étaient tous différents, chacun d'eux se découpant entre deux sons particuliers qui déterminaient la durée de ce silence, mais, plus encore, sa saveur particulière, sa densité, son style.

Russel était toujours prisonnier de la Plymouth. Immobile, il enregistrait tous ces signaux sonores et tâchait de les interpréter. Il y eut un écho affaibli de klaxon, une feuille se posa sur le toit de la voiture, des pas éloignés crissèrent sur du gravier. Il devait se trouver dans le parc d'une maison de campagne. Il se plut à imaginer cette maison. Il essayait toujours de reconstituer toute la morphologie d'un lieu en se fondant sur les indices les plus ténus ; il se trompait souvent dans ses suppositions, mais personne n'en savait rien, pas même lui, à condition qu'il n'en parlât jamais. Les pas sur le gravier se rapprochèrent.

Outre Buck, deux nouvelles voix. L'une était inconnue, l'autre celle de Raph. La portière s'ouvrit.

— Russel, c'est moi, Raph, fit la voix de Raph.

— Je sais, dit Russel.

— Gutman, Kasper Gutman, fit la voix inconnue.

— Enchanté, dit Russel.

Buck le prit à nouveau par le bras et ils marchèrent sans parler vers une maison dont l'entrée donnait de plain-pied sur le gravier. La porte était vitrée ; Russel perçut lorsqu'on la referma le frémissement des carreaux dans leur carcan de mastic sec. Buck le poussa dans un fauteuil, Raph versa à boire et lui cala un verre dans la main, Gutman tira une chaise près du fauteuil et s'assit ; le soupir défensif du siège indiqua qu'il s'agissait de quelqu'un d'extrêmement pesant.

— J'ai beaucoup entendu parler de vous, dit l'homme lourd, j'ai un travail à vous proposer.

— Je n'ai pas besoin de travail en ce moment, dit froidement Russel. J'en ai. Quand je n'en aurai plus, je trouverai autre chose. J'accorderai des pianos, par exemple.

— Attendez, dit Gutman d'un ton apaisant.

Il s'expliqua. Il était propriétaire d'une petite île, quelque part au milieu de l'océan, sur laquelle des inconnus s'étaient installés depuis plusieurs mois sans qu'il en fût prévenu. Lui-même n'avait été informé de cette occupation que bien après leur arrivée. L'apprenant, il s'y était rendu mais n'avait pu y débarquer, ne recueillant pour toute explication que des coups de fusil. Il avait dû s'enfuir. S'enfuir de chez soi, répétait-il avec accablement, s'enfuir de chez soi.

— Vous n'aviez qu'à engager une action en justice, suggéra Russel.

— Ce n'est pas si simple, déplora l'obèse. Je suis obligé de rester discret. Je possède plusieurs îles dans cette région, mais ils n'ont pas choisi n'importe laquelle. Celle-ci, je l'ai achetée dans des conditions un peu particulières, voyez-vous.

— Je vois, dit l'aveugle, et alors ?

Alors, Kasper Gutman avait envisagé d'intervenir en force. Il connaissait des gens qui pouvaient s'en occuper, il suffisait d'avoir l'argent. L'argent, il l'avait. C'est alors qu'il avait reçu la visite de Raph et Buck, qui lui avaient parlé du projet Prestidge, ce qui l'avait beaucoup intéressé. Cela remettait tout en question ; les bruits les plus divers et les plus flous courant sur ce sujet, il convenait d'être prudent. Il fallait savoir de . quoi il retournait exactement avant de tenter quoi que ce soit. Il avait différé l'intervention, sans y renoncer. Il tenait à cette île, n'est-ce pas, finalement elle était à lui.

— Au fait, dit Russel.

— J'y viens, dit Gutman. Pourquoi ne travailleriez-vous pas avec moi ? Nos préoccupations sont complémentaires, et nous ne nous gênerons pas, puisque nous ne cherchons pas la même chose. Moi, je veux récupérer mon terrain, et vous, vous cherchez le type qui est sur ce terrain.

— Comment le savez-vous ?

— Par Raph, indiqua Gutman.

— Par Pradon, indiqua Raph.

— Je suis peut-être complémentaire avec vous, dit Russel, mais pas avec Raph. Je suis payé pour retrouver des papiers. Comme Raph et Buck les cherchent aussi, je serai dans une situation un peu délicate vis-à-vis de Haas si je travaille avec eux. Il faudra bien qu'à la fin ces papiers reviennent à quelqu'un.

— Haas n'en saura rien, dit Buck.

— Je paye mieux que Haas, dit Gutman.

— Nous n'exigeons pas l'exclusivité du projet, dit Raph. Une fois que nous en aurons une copie, rien ne vous empêche de rapporter l'original à Haas.

— Ça change tout, reconnut Russel.

Il était facile à convaincre, mais il réfléchit quand même un moment, pour la forme.

— Après tout, conclut-il, avec la vie que je mène, je n'ai aucune raison de ne trahir personne.

— Je me félicite de votre concours, fit Gutman d'une voix de toast. C'est un présage de succès.

— N'exagérons rien, dit Russel, je ne suis qu'un pauvre aveugle solitaire.

Et il fit son numéro de pauvre aveugle solitaire. Buck et Raph, qui le connaissaient déjà, quittèrent discrètement la pièce. On entendit la Plymouth démarrer, s'éloigner.

Un peu plus tard, Gutman et Russel sortirent dans le parc avec leurs verres et s'installèrent dans des chaises longues ; celle de Gutman était en cuir, matériau résistant. L'obèse s'y vautra et se mit à parler de lui sans discontinuer. Russel n'écoutait que sa voix, sans prêter grande attention à ses paroles ; il essayait de disséquer, d'analyser cette voix pour parvenir par déduction à se représenter le visage d'où elle sortait. Il obtint ainsi une dizaine de visages, tous dissemblables mais vraisemblables, puis se lassa du jeu. Il laissa traîner sa main par terre et ramassa une poignée de graviers.

— De quelle couleur, ces pierres ?

— Grises, blanches, dit Gutman, plutôt blanches, c'est du gravier. Tous les graviers sont pareils.

— Je ne savais pas.

— Excusez-moi, j'avais oublié que vous n'y voyez pas, fit Gutman, un peu confus. Mais aussi, quelle idée de vouloir connaître la couleur des choses ? Vous avez déjà vu les couleurs ?

— Jamais, dit Russel, mais ce sont surtout leurs noms qui ont de l'importance. Ce sont des mots supplémentaires, disponibles. J'y mets ce que je veux et je les accroche aux choses que je rencontre, qui ne sont elles aussi que des mots, la plupart du temps. Les noms des couleurs ne m'apprennent rien, ils me donnent simplement des idées.

— Tout le monde fait ça, dit Gutman. Les choses qu'on ne peut pas atteindre, on se dédommage en les nommant.

22

Joseph baissa la flamme de la lampe, près de la fenêtre, et colla son nez épais contre le mica où deux taches de buée se formèrent à l'orée de ses narines.

— Il y a un feu, par là-bas.

— C'est Arbogast, dit Tristano, il est avec le traducteur. Je les ai aperçus cet après-midi.

— Quel traducteur ? demanda Caine.

Comme personne ne lui répondait, il baissa la tête et continua de fouiller parmi les pièces de son puzzle. Joseph quitta la fenêtre et revint vers Paul qui gisait sur un divan bosselé de ressorts, la jambe droite étendue devant lui sur une chaise. Joseph s'assit sur l'espace vacant de la chaise et se remit à masser le genou de Paul.

— Ça va aller, dit-il, il n'y a pas de fracture. Ce sera fini dans deux jours, vous avez eu de la chance.

Paul ouvrit les yeux. Les trois lampes à pétrole brûlaient calmement, propageant autour d'elles de paisibles halos bordés d'ombres nuancées. La salle du palais stagnait dans un subtil clair-obscur façon Georges de la Tour, qui adoucissait les aspérités, les mouvements, jusqu'à produire une sorte de ralenti, au seuil de l'immobilité.

Tristano était installé devant un petit guéridon instable en formica et métal léger, recouvert d'une grande carte du Pacifique dont les pans retombaient de part et d'autre du plateau comme une nappe, et sur laquelle s'entassaient en désordre papiers et livres ouverts. Il annotait un document à petits coups de crayon brefs, son regard s'attardant parfois pensivement sur Caine qui, à l'autre bout de la salle, s'acharnait sur le puzzle presque achevé. Caine faisait des efforts pour ne pas se montrer trop absorbé par le jeu de patience dont l'évidente futi-lité déclenchait, lui semblait-il, une réprobation muette ; ainsi oscillait-il entre deux attitudes ; lorsqu'il parvenait à placer correctement une pièce, il ne pouvait réprimer un sourire jubilatoire, et, oublieux du détachement qui s'imposait, il se tournait alors vers les autres comme pour leur faire partager son enthousiasme, mais son regard ne croisant que des regards sévères, fuyants, des faces de bois, il récupérait rapidement le masque appro-prié et reprenait son assemblage avec tous les signes du flegme et de l'intérêt mineur.

Joseph lui en voulait, et s'en voulait de ne pas se montrer plus exigeant. S'il n'avait tenu qu'à lui, il aurait volontiers enchaîné l'inventeur à sa machine, mais Tris-tano l'avait dissuadé de toute coercition. Aussi détour-nait-il l'énergie de sa rancœur vers l'entorse de Paul, dont le genou n'avait pas résisté à un atterrissage mala-droit sur le sol insulaire.

— Ça va aller, répétait Joseph.

Paul haussa les épaules. Son immobilité prenait dans son esprit un aspect tragique, définitif, comme s'il se trouvait enfermé dans le dernier d'une série d'étuis étanches, de sarcophages emboîtés les uns dans les autres. L'idée de retrouver bientôt l'usage de sa jambe n'épon-geait pas son désespoir ; ce ne serait que passer dans le sarcophage immédiatement supérieur formé par l'île elle-même, étui un peu plus vaste mais tout aussi imper-méable et borné que la salle du palais, et au-delà duquel se trouvait encore toute une série d'autres étuis, l'incarcérant irrévocablement dans un espace clôturé. Au-delà de l'île, il y avait l'emprise omnipotente de Carrier, elle-même emboîtée dans le pouvoir anonyme auquel peut-être elle se pliait. Et au-delà de ce pouvoir, dans l'hypothèse où l'on pût s'y soustraire, jamais Paul ne pourrait se dégager du sarcophage ultime et originel qu'était son propre corps, corps abîmé, meurtri, et trituré dans l'immédiat par des mains rudes. Bref, désespéré. Il se sentit envahi par des sensations d'horreur et d'éternité : l'enfer. Il eut du mal à respirer, ferma les yeux.

Une exclamation les lui fit rouvrir. Avec un geste théâtral, Byron Caine s'était brusquement éloigné de la table où s'étalait son puzzle, et maintenant il le considérait de loin, immobile, avec un vague sourire de fierté attendrie qu'il ne tentait plus de masquer. Il se tenait très droit. Il se tourna vers Tristano et chercha son regard. Tristano parut gêné et s'absorba dans l'examen du Pacifique.

— Qu'est-ce qui vous prend ? demanda Joseph.

— J'ai fini. Ça y est.

Joseph grogna, son massage se fit rude.

— Vous me faites mal, protesta Paul.

Tristano releva la tête et fixa le mur en face de lui, haussant les sourcils et plissant son front, comme s'il cherchait à se remémorer quelque chose de très ancien. Il se leva et se dirigea vers le puzzle achevé dont l'inventeur lissait amoureusement la surface du tranchant de la main. Les morceaux de carton assemblés reconstituaient un tableau figurant une vaste galerie aux murs de laquelle étaient suspendus une multitude de tableaux, dont certains représentaient encore d'autres tableaux ; la mise en abyme s'arrêtait là, le peintre ne s'étant pas aventuré plus loin dans l'emboîtement des représentations. Tristano joignit ses mains derrière son dos et remua la tête.

140

— Très beau, dit-il.

— N'est-ce pas ?

Ils parlaient sans se regarder, leurs quatre yeux fixés sur l'assemblage.

— Et maintenant, qu'est-ce que vous allez faire ?

— J'aimerais bien en avoir un autre, dit Caine.

Joseph souffla, Tristano soupira. Il s'écoula un certain temps.

— Je vais voir ce que je peux faire, dit Tristano. Ce ne sera pas facile, mais d'accord, je veux bien faire un effort. Mais aussi il faudrait quand même y mettre un peu du vôtre. Vous travaillez lentement.

— Que voulez-vous que je vous dise ? Je n'y peux rien. Je vous avais averti avant de partir que tout n'était pas au point. Vous voulez que je vous explique ?

— Laissez, je n'y comprendrais rien.

— Il se fout de nous, vous vous foutez de nous, cria encore Joseph, délaissant le genou entorsé. Vous ne voyez pas qu'il se fout de nous ? Il ne fait rien de toute la journée, et il faudrait en plus qu'on lui trouve des puzzles.

— Permettez, protesta l'inventeur. Hier, j'ai fait mes huit heures comme tous les jours et comme tout le monde. C'était ce qu'on avait convenu au départ, avec un jour de repos par semaine, le dimanche. Aujourd'hui c'est dimanche. Même sur les îles désertes il y a des dimanches, et je suis là pour les défendre.

— Il se débrouille bien, fit Joseph avec aigreur. Avec cette histoire de méridien, il y a deux dimanches par semaine ici. Il s'arrange bien. Salaud.

— Je vous trouverai un autre puzzle, dit Tristano, un puzzle ou quelque chose d'approchant. Je veux bien faire ça pour vous à condition que vous retourniez travailler. C'est urgent, maintenant. Il faut que tout soit fini le plus vite possible, d'accord ?

141

Caine bouda, acquiesça, se voûta, enfonça les mains dans ses poches et quitta la pièce à contrecœur, traînant ses chaussures après lui. On l'entendit descendre l'échelle et s'enfoncer dans le sous-sol. Paul avait assisté à la scène avec un sentiment accru de dérision et de désespérance.

— Ça ne servira à rien, dit Joseph.

— Je sais, fit Tristano à voix basse et lasse. Je vais appeler Paris, il faut faire quelque chose.

Il prit une lampe et se dirigea vers l'émetteur-récepteur sur les flancs nickelés duquel se refléta en tache floue la lueur jaune et noire du pétrole en combustion.

Paul regardait l'énorme poste de radio. Il se demanda combien de temps faudrait-il pour que cet environnement moisi, dégradé, brouillon, parvienne à contaminer ce représentant intègre d'une modernité chromée, par quel cheminement l'usure aboutirait-elle à en ronger la surface, les entrailles, lequel de ses constituants métalliques céderait le premier à l'oxydation, où surgirait le premier point de rouille, à quel stade de corrosion le luisant appareil cesserait-il de contraster avec le désordre désolé du lieu, par quelles étapes successives finirait-il par s'y adapter, par s'y fondre et s'y amalgamer, jusqu'à ne faire un jour plus qu'un avec lui, jusqu'à le résumer, le représenter, en devenir la métaphore.

Tristano réglait la future métaphore sur la longueur d'onde appropriée. Il y eut encore des craquements et du brouillage ; bruits divers. Des bulles de son éclatèrent en série à la surface des haut-parleurs, au bout de quoi la voix synthétique apparut, égrenant son compte à rebours à l'issue duquel :

— Xerox.

— Xerox, reprit Tristano, Alsthom Bic Pennaroya.

— Harmony Pennaroya, Alsthom Tanganyika.

— Tanganyika ? s'exclama Tristano. Bic Tanganyika.

— Ferodo, insista la voix, Harmony Tanganyika Ferodo. Ferodo. Ferodissimo. Xerox.

— Xerox, répéta Tristano.

Il éteignit l'appareil et resta sur sa chaise, le visage vers le sol et les bras croisés sur ses genoux.

— Vous avez compris ?

Joseph rappela qu'il ne connaissait pas le code, mais Tristano ne parut pas l'entendre. Paul ne dit rien. A travers la distorsion de la voix synthétique, il avait cru reconnaître certaines inflexions très caractéristiques de la voix de Carrier, laquelle lui avait toujours été odieuse, d'ailleurs, car toujours annonciatrice de désagréments divers ; jamais il n'avait imaginé qu'il pourrait éprouver un jour en l'entendant un sentiment autre que la contrariété. Mais comme il doutait toujours, instinctivement, que les gens et les lieux ne se dissolvassent et disparussent dès qu'il ne les regardait plus, cette voix, même odieuse et synthétisée, venait dissiper un peu ce doute. Il se surprit à ressentir un soulagement, à cette preuve de l'existence simultanée d'une vie ailleurs, preuve que cet ailleurs était encore bien là, loin mais là, et que Vera, Paris, Carrier, l'hiver à Paris et Vera dans Paris en hiver n'avaient pas cessé d'être dès l'instant où il les avait quittés. Et ce fut comme si s'assouplissaient un peu les sarcophages amoncelés, comme un filet d'air frais s'insinuant parmi les carcans.

Tristano s'était levé. Il parcourait lentement la salle de long en large, traversant les faisceaux de clarté et les zones obscures qui faisaient se succéder sur son visage une infinité de combinaisons de lumière sur la peau. Il erra un moment parmi les détritus et les ébauches de détritus qui encombraient l'espace, et dont les ombres floues, multipliées par les lampes, intersécaient ou se superposaient.

— Vous avez compris ? répéta-t-il. Vous n'avez pas compris ?

Joseph et Paul regardèrent ailleurs. Il laissa s'épandre leur mutisme et retourna s'asseoir.

— Qu'est-ce qu'ils en pensent ? demanda timidement Joseph.

— Une femme, dit Tristano. C'est idiot.

— Quelle femme ?

— Une femme, n'importe laquelle. Ils disent que c'est ça qu'il lui faut.

— Il n'y a pas de femme ici, dit Joseph. Ce ne sera pas facile d'en trouver dans la région.

— A Paris non plus, ils n'en ont aucune à nous envoyer. J'ai peut-être eu tort de faire partir Rachel.

— Vous n'aviez pas confiance en elle.

— C'est vrai, reconnut Tristano. Mais maintenant, il n'y a plus personne.

Alors, Paul eut une idée. L'idée naquit timidement, grandit, enfla, devint énorme, l'envahit et le submergea, et il dut lutter contre elle pour éviter d'être noyé. Il se déroba, mais l'idée le poursuivit, plus forte et plus tenace, bardée d'arguments. Il lutta contre elle, mais elle eut le dessus. L'idée pouvait dissoudre tous les étuis, les cellules, carcans et sarcophages, elle pouvait restituer l'espace et le temps à l'existence, elle était libératrice, claire, resplendissante : une idée lumineuse. Elle avait même le pouvoir de guérir en un instant son genou, qu'il avait d'ailleurs oublié ; il tenta de se lever, mais une douleur brûlante et zébrée le rejeta sur le divan.

— Calmez-vous, dit Joseph, ça va aller.

Paul haletait un peu. Les battements de son cœur, amplifiés par la douleur, faisaient battre son corps tout entier, l'empêchaient de parler. Il fit un signe. On le regarda.

— Je pense à quelque chose, souffla Paul, quelqu'un.

— A quel propos ? dit-on.

— La femme, dit Paul, la femme dont vous parlez. Je pense à quelqu'un, peut-être.

On tira des sièges près de lui.

— A qui ? demanda-t-on.

144

23

Ce dimanche matin, Vera se leva tôt pour se rendre à l'église russe de la rue Daru, dont on voit saillir la coupole de loin, tout au fond de la rue Pierre-le-Grand. L'église étant démunie de sièges, et le culte interminable, on devait y rester debout des heures durant, à contempler une obscure mise en scène accompagnée par un chœur angélique, invisible au public, qui en scandait les points forts. Dans un décor composé de trois portes, ouvertes et refermées sans cesse, une théorie de prêtres, d'acolytes et de servants exécutait un ballet machinal et précis, comme une chorégraphie de garçons de café. Dans la salle, quatre laïcs voûtés, vêtus de sombre, passaient et repassaient l'un derrière l'autre parmi les assistants, des corbeilles d'osier entre les mains et de petits écriteaux couverts d'inscriptions russes suspendus à leurs cous, comme un serpent quêteur sinuant dans la foule.

Bien qu'elle ne fût pas assidue à la célébration, Vera retrouvait d'un dimanche à l'autre quelques habitués, parmi lesquels un vieillard en habit aux gestes d'automate, rigide et maigre, l'œil couvert d'un cache noir, et qui semblait toujours sur le point d'extraire de son gilet un pistolet d'ordonnance pour s'en enfoncer le canon dans l'oreille. Il y avait aussi des femmes susurrantes et sans âge, couvertes de voiles, qui pouvaient ne surgir du néant qu'à l'occasion du culte hebdomadaire. On y voyait encore de vieux danseurs cambrés, de petits enfants malins et mobiles, des anonymes, des amateurs.

En sortant de l'église, la plupart du temps avant la fin du culte, Vera se retrouvait toujours dans le même dimanche glacé, car elle ne s'y rendait que l'hiver, passant plus volontiers la saison chaude à la mosquée. Le froid dominical imposait sa présence à l'extrême, outrepassait ses droits, imprimant sa marque aux façades des immeubles et aux visages des passants, aux bruits eux-mêmes et jusqu'à l'épaisseur de l'air ; mieux, il ne se bornait pas aux objets perceptibles, mais envahissait de telle sorte l'espace séparant ces objets qu'il les reliait les uns aux autres, instaurant entre eux un rapport de distance, respectueux et gelé. Peu de magasins étaient ouverts, et, au travers de leurs devantures étroites, s'apercevaient des piles poussiéreuses de petits gâteaux gris ou de petites brochures beiges. Les trottoirs étaient déserts, bordés de portes closes ; de rares voitures roulaient lentement, sans bruit. Hors de l'église, c'était encore Irkoutsk.

Vera marchait, dans un état particulier. L'assistance à cette cérémonie, comme d'ailleurs à toute autre cérémonie, avait pouvoir d'agir sur elle, sur son corps, ses idées et l'idée de son corps par un mécanisme analogue à celui, chimique, que peut déclencher l'absorption d'un champignon spécial. Sans doute ne se rendait-elle en réalité à tous ces cultes que pour sentir, dans les heures qui suivaient sa sortie de l'église, son cerveau et son cœur désertés ; et son corps lui semblait alors se mouvoir dans une forme très rare d'équilibre, d'harmonie rigoureuse, de complétude et de néant. Peut-être était-ce l'abstraction des chœurs dissimulés, éthérés, épurés comme des concepts chantants, marquant le contrepoint de ce va-et-vient de vieillards velus et dorés, qui éveillait ce vide en elle ; un vide sans chute ni drame, sans

146

chaos, sans danger, un vide d'opium ; c'était donc vrai.

Lorsque ce néant feutré se dissipait, lorsqu'en elle et autour d'elle les objets commençaient à recouvrer leurs reliefs, leur acuité, elle s'attardait à contempler leur émergence progressive, presque insensible, comme si la marée les découvrait, comme s'ils se dégageaient d'un brouillard s'effilochant par lambeaux. L'univers solide une fois reconstitué, elle rentrait chez elle.

Ce jour-là, Vera ne rentra pas chez elle. L'idée de retrouver son lit défait lui inspirait de l'horreur. Elle décida de regagner son quartier à pied et de passer dehors la plus grande part possible d'après-midi ; pas trop loin quand même de son appartement, éventuel refuge, sis dans une petite rue entre la Seine et la Bastille. A pied, c'était assez long. Elle marcha.

Elle rejoignit la Seine en s'accordant un détour par la place de la Concorde dont la vastité plane et vide, parsemée d'édifices hétéroclites, et de laquelle on distinguait en contre-plongée les hauteurs lointaines de la ville, éveillait en elle une sorte de vertige, léger mais inusable, analogue à celui que l'on éprouve en débouchant sur le pont d'un navire en pleine mer, après s'être égaré dans l'obscurité de ses viscères. De là, Vera gagna les bords du fleuve, qu'elle remonta lentement en détaillant les neuf ponts qui la séparaient de chez elle. Les quais étaient d'un vide proportionné à celui des rues. Des chiens y pissaient et glapissaient, traînant leurs patrons après eux. Elle croisa des couples absorbés dans leur entente ou leur discorde, d'incompréhensibles pêcheurs emmitouflés dans de la laine, et là encore des anonymes, des amateurs. Certaines fractions de quai étant réservées aux voitures, elle était parfois contrainte de s'éloigner du lent liquide opaque défilant à ses pieds pour remonter au niveau de la ville. Elle mit du temps à rejoindre son quartier, un long moment froid et distendu : c'était comme si le temps qui passe et le temps qu'il fait se

147

fondaient en un temps unique, absolu, également responsable à lui seul de la météorologie et de la durée.

Boulevard Henri-IV, elle eut faim, chercha un magasin ouvert. Elle entra dans une épicerie vide tenue par un maghrébin vêtu d'une blouse en nylon gris.

— Bonjour monsieur, dit Vera. Je voudrais des oranges, s'il vous plaît. Une livre.

— Vous devriez en prendre un kilo, suggéra le maghrébin, pour une fois qu'elles ne sont pas trop chères.

— Je vois bien, dit Vera, mais je suis seule.

L'épicier fit un geste figurant le destin.

— Moi aussi, dit-il, moi aussi je suis seul.

Ils échangèrent un sourire symétrique et désolé de part et d'autre de la caisse, Vera paya ses agrumes, ils se dirent au revoir, elle sortit. Elle reprit sa marche en pelant une orange. Elle ne savait où aller. La peau déchirée du fruit crachait un liquide amer, incolore et collant, qui lui glaçait les doigts. Elle eut subitement très froid. Un grand bar sombre offrait ses portes devant elle.

Plus tard, elle était installée dans l'arrière-salle de ce bar, sur une banquette de skaï rougeâtre, devant une table carrée supportant un cendrier de métal jaune et une tasse à café vide. Le bar était également vide. Au comptoir, un garçon s'occupait mollement à des tâches contingentes, comblant l'heure creuse en alignant soigneusement des piles de verres qu'il lui faudrait bientôt emplir, rincer, remplir, et rincer à nouveau, sans cesse, jusque tard dans la nuit. Le téléphone sonna deux fois, très fort, agressivement amplifié par le vide. Le garçon décrocha et se perdit dans un murmure inaudible d'acquiescements, rétablissant le précédent niveau sonore.

Vera écrivait à Paul. La cendre de sa cigarette tombait parfois sur le papier blanc, et, comme elle la faisait glisser d'un revers de la main en l'écrasant un peu, cela formait sur la feuille d'obliques traînées grises. Vera détaillait la salle du bar, les chaises en matière plastique rigide, la table un peu boiteuse qui la gênait pour écrire et dont elle calait le pied métallique avec son genou, la froideur du métal transperçant la trame de son bas, la lumière, les bribes perceptibles d'une conversation qu'avaient entreprise deux vieux clients à écharpes avec le garçon, le regard horizontal et pensif de ce garçon, et encore bien d'autres choses du même ordre, en désordre.

La porte du bar s'ouvrit et un homme entra, portant un petit paquet d'enveloppes brunes dans la main. De grosses lunettes vertes lui masquaient la moitié du visage, fixées autour de son crâne par un large élastique rose et sale comme un vieux pansement. Il fit le tour de la salle et de l'arrière-salle, déposant une enveloppe sur chacune des trois ou quatre tables occupées, puis il se mit au comptoir et pointa son index vers le percolateur. Le garçon actionna la machine, et quelques gouttes de jus noir churent dans une tasse de couleur vert wagon.

Sans toucher à l'enveloppe, Vera tordit la tête pour déchiffrer la mention qui s'y trouvait imprimée au tampon, en caractères gras bleu pâle et mal cadrés.

Sourd-muet de naissance
Message du destin
5 francs

Elle se remit à écrire, transcrivant en détail l'irruption du silencieux, puis la progressive animation du bar, sans doute liée à l'avancement de l'après-midi.

Ainsi s'animaient et s'avançaient le bar et l'après-midi. Un jeune homme mettait le flipper en marche ; la bille d'acier roulait sur le plan incliné avec un bruit huilé et cognait sur son parcours divers obstacles élastiques qui la renvoyaient en tous sens, provoquant toutes sortes de chocs, déclenchant diverses tonalités de sonneries ou des séries de claquements, précis comme des rafales, cette polyphonie se ponctuant de temps à autre par une détonation mate annonciatrice de partie gratuite ou par le grognement satisfait du jeune homme lorsque s'éclairait, en lettres mauves sur fond bleu, l'inscription *same player shoots again*. Des pièces de monnaie dégringolaient sur le comptoir, tournoyant sur elles-mêmes interminablement. Le juke-box, sollicité, déversait une musique binaire et monolithique. Les bruits de voix et d'objets, les appels et les conversations allaient en s'amplifiant à mesure que passait le temps et que s'emplissait le bar, parfois recouverts par un jet de vapeur que le garçon faisait fuser de sa machine, comme un conducteur de locomotive, rappelant dans la confusion apparente sa présence, sa toute-puissance. Le bruit général embrumait l'espace de façon assez stable, comme orchestrée. Vera barra deux lignes, ratura quatre mots et mit un point. Puis elle but la fin de son second café, fouilla dans son sac, déposa de la monnaie sur la table et lut ce qu'elle venait d'écrire.

Ce n'était pas vraiment une lettre à Paul. Paul n'était que le prétexte d'écrire, comme écrire était le prétexte d'autre chose. D'ailleurs, Paul avait disparu depuis dix jours sans laisser message ni adresse. D'un instant à l'autre, il n'avait plus été là. Cela lui arrivait de temps en temps. Vera plia les papiers en quatre, les glissa dans son sac et écouta un moment la conversation d'un couple voisin ; c'était une conversation banale, elliptique et sans éclat, comme n'importe quel couple peut en avoir n'importe quel dimanche après-midi d'hiver, dans n'importe quel bar entre la Seine et la Bastille.

Elle se leva, rassembla les objets qui traînaient sur la table et les mit dans son sac. Comme elle prenait son manteau, elle aperçut l'enveloppe brune qui traînait toujours sur la table. Elle hésita, jeta un regard vers le comptoir ; le messager du destin n'était plus là. Sourd-muet distrait, pensa-t-elle, pauvre garçon. Elle eut envie de prendre l'enveloppe, éprouva un scrupule, considéra les alentours. On ne la regardait pas. Le garçon emplissait et rinçait. Le jeune homme besognait son flipper. Le couple voisin s'affairait à réparer les dommages occasionnés par un verre de menthe à l'eau qu'ils avaient renversé en essayant de s'embrasser par-dessus leur guéridon. Vera fit disparaître l'enveloppe au fond du sac.

Dehors, elle marcha lentement jusqu'à la place de la Bastille et s'arrêta, hésitante, près d'une bouche de métro. Elle ne savait que faire. L'image de son lit défait la tenait encore à distance de chez elle. Elle songea à rendre visite à quelqu'un, peu importait qui, quelqu'un de disponible, prétexte à visite comme Paul avait été prétexte à lettre. A ses pieds, l'escalier mécanique s'enroulait sur lui-même. Elle ouvrit son sac pour y prendre son carnet d'adresses, et, tout en fouillant, elle retrouva l'enveloppe du sourd-muet qu'elle avait oubliée. Elle se réjouit de cette source de distraction passagère, aussi futile fût-elle, et ouvrit l'enveloppe. A l'intérieur de cette enveloppe, il y avait une petite feuille de bloc sténo pliée en deux et recouverte d'une écriture assez fine. Vera reconnut l'écriture de Paul.

Elle ne put d'abord rien faire, sinon ouvrir ses yeux très grands. Et puis elle lut le message à plusieurs reprises, d'abord très vite, puis de plus en plus lentement. Elle replia le papier, le déplia, le relut encore. Alors elle ouvrit son sac, y vérifia la présence de son carnet de chèques, et se tourna avec un geste vers la maigre file de voitures arrêtées au feu rouge. Un taxi Mercedes couleur sable vint se garer à sa hauteur, Vera se jeta à l'intérieur.

— A l'aéroport de Roissy, fit-elle d'une voix précipitée, comme elle l'avait bien souvent vu faire au cinéma.

Le chauffeur mit son compteur à zéro, le feu passa au vert et le taxi démarra souplement, également tout comme au cinéma.

24

La Plymouth traversait les quartiers suburbains de Brisbane. Buck conduisait, Raph sommeillait à côté de lui. Gutman et Russel se partageaient la banquette arrière. Tous quatre transpiraient, chacun à sa façon.

Russel baissa sa vitre, et une masse irrespirable s'engouffra dans la voiture, lui coupant le souffle. L'air chaud frappait trop brutalement son visage pour qu'il pût en filtrer la quantité nécessaire à ses poumons, mais il affronta en suffoquant le trop-plein, au sein duquel il discernait des odeurs connues et en découvrait d'autres, l'ensemble formant un cocktail de senteurs qui lui était inconnu jusqu'ici : le parfum australien. Sa connaissance de l'étranger se fondait en grande partie sur les odeurs, déterminant ainsi un découpage géographique purement olfactif que ne recouvrait pas la disposition traditionnelle des continents et des nations, telle qu'on l'enseigne aux écoliers.

Les derniers filaments de banlieue disparurent derrière eux, et bientôt il n'y eut plus de maisons de part et d'autre de la route, rien qu'un paysage plat et monochrome de champs et de terrains en friche, avec, au loin, des masses végétales agglutinées qui pouvaient passer pour des sortes de forêts. La Plymouth parcourut une centaine de kilomètres au bout desquels Gutman indiqua un chemin sur la droite.

Ils s'engagèrent sur une petite route étroite et négligemment goudronnée, qui se faufilait discrètement entre les champs carbonisés. Buck conduisait lentement, zigzaguant entre les crevasses. Au bout de quelques kilomètres, la route s'enfonça dans un magma de buissons compacts, de feuillages et d'arbres frêles, et se transforma en un sinueux chemin de terre, juste assez large pour les roues de la Plymouth, qui s'adaptaient à peine aux deux profondes ornières parallèles constituant à proprement parler le chemin, dont l'axe central et les bords foisonnaient de ronces sèches et de tiges ligneuses. De l'intérieur, on entendait le frottement de la végétation dure et dense, brossant le chassis de la voiture, égratignant la peinture des ailes. Buck freina brusquement au sortir d'un virage, Raph se tourna vers Gutman.

— Qu'est-ce qu'on fait ? Il y a un tronc d'arbre au milieu du chemin.

Gutman baissa sa vitre et cria quelques mots vers les buissons, d'où surgit une demi-douzaine de canaques revêtus de treillis dépareillés et de longs shorts kaki. Les canaques évacuèrent l'obstacle, la Plymouth repartit.

Une fois le tronc d'arbre franchi, la voie était mieux entretenue. Tous les cent mètres se tenait un canaque impassible et kaki, une crosse émergeant de la ceinture de son short. La voiture déboucha dans une espèce de camp militaire défroqué. Quelques grandes tentes et une baraque en tôle occupaient un espace dégagé dans la forêt. Buck se gara devant la baraque, d'où surgirent deux nouveaux canaques, dont les uniformes informes ne se différenciaient des autres que par des galons de récupération cousus à la hâte. On s'extirpa de la Plymouth et Kasper Gutman présenta les uns aux autres par leurs noms, qualités et caractéristiques.

La caractéristique essentielle de Gutman lui-même

résidait dans son extrême corpulence. Son corps inhabituellement lourd, large et épais, éveillait inévitablement le soupçon du recours à un postiche, artifice sans lequel on pouvait s'interroger sur le degré d'hypertrophie des organes ballonnant ce considérable sac de peau, voire sur les organes additionnels qu'il pouvait contenir. Malgré cette accablante morphologie, son visage n'était pas exempt d'expression, ni son regard d'une certaine lueur. Il ressemblait à l'acteur Sidney Greenstreet incarnant, dans une autre histoire, le rôle d'un personnage également et coïncidemment nommé Kasper Gutman. Comme ce dernier, son allure était d'ailleurs empreinte d'un certain sens des apparences. Il mâchait un cigare au bout décomposé dont il crachotait sans cesse des débris, mais ce détail inélégant ne semblait avoir pour fonction que de mieux mettre en valeur l'impeccabilité de ses poignets et du col de sa chemise, celui-ci retenu par une cravate crémeuse barrée d'une épingle dorée, ceux-là par des boutons de manchette assortis à l'épingle. Même, bien qu'il transpirât beaucoup comme les autres et se tamponnât régulièrement le front de sa pochette, aucune tache humide ne déparait son costume clair.

Les présentations faites, on entra dans le baraquement dont les parois de tôle potentialisaient la chaleur et activaient encore la sudation. L'un des officiers canaques prit Gutman à part et lui exposa une série de doléances qui semblaient concerner l'armement disponible, pendant que le second s'employait à faire chauffer de l'eau sur un réchaud à butane. Le premier officier s'affligeait dans son idiome aborigène, dévidant de longues phrases où se reconnaissaient au passage des noms d'armes connues. L'autre vint à sa rescousse. Tout en versant d'un air navré de l'eau bouillante dans les verres à moitié pleins de café en poudre, il priait Buck, Raph et Russel d'intervenir pour persuader Gutman de la nécessité de moderniser leur matériel. Ils calquèrent leur silence sur celui de l'obèse. Russel déclina le breuvage ; Buck et Raph, l'acceptant, penchèrent leurs fronts en nage au-dessus des verres brûlants d'où s'élevait une vapeur épaisse.

Kasper Gutman agita enfin les paumes de ses mains dans un mouvement apaisant et lassé. Il sortit de la baraque et alla prendre dans le coffre de la Plymouth un long pistolet-mitrailleur Colt qu'il posa sur la table à son retour, sans un mot. Les officiers frémirent d'aise à la vue de l'arme monstrueuse, qui ressemblait à la fois à un squale et à une machine à tuer les squales. Ecartant plusieurs fois ses gros doigts, Gutman en promit des dizaines. Pour marquer l'événement, l'officier préposé aux boissons sortit d'un placard métallique une bouteille d'Aquavit, entamée et inattendue, dont il répartit d'autorité le contenu dans les verres. Comme l'odeur pénétrante du cumin s'immisçait dans celles du café soluble et de la tôle chaude, Gutman expliqua aux officiers que ces armes n'étaient pas des cadeaux mais l'objet d'un troc ; il dit ce qu'il désirait en échange. Les officiers écoutèrent, acquiescèrent, disparurent.

Lorsqu'ils revinrent, un jeune homme d'une vingtaine d'années les suivait, qu'ils présentèrent sous le nom d'Armstrong Jones. A la différence des autres membres du groupe, presque uniformément canaques, Armstrong Jones avait la peau très blanche, les cheveux presque blancs également, et son visage imberbe était couvert de taches de rousseur. Il semblait ne pas entendre ce qui se disait dans le baraquement et parlait inaudiblement pour lui-même, entre ses dents, sans cesser de frotter ses doigts les uns contre les autres. Ses yeux étaient mobiles, inexpressifs, et couraient arbitrairement parmi les objets, bien que son regard parût en réalité intensément fixé vers l'intérieur de lui-même. Il n'eut aucun échange avec les visiteurs, et, bien qu'il en fût l'objet, il se montra indifférent au marchandage qui se tramait autour de lui.

155

Les officiers ne tarissaient pas d'éloges à propos d'Armstrong Jones. Ils louèrent son talent pour les lames, sa maîtrise des armes à feu, son génie du corps-à-corps, ses qualités d'observateur, son sens de l'orientation, son ingéniosité surnaturelle enfin. Gutman considéra l'albinos d'un air sceptique, puis se tourna vers Buck et Raph comme vers des experts. Raph ne dit rien, Buck fit la moue.

— Il n'a pas l'air très éveillé, risqua-t-il.

A peine eut-il le temps d'émettre sa critique qu'Armstrong Jones bondit sur Buck, le tourna sur lui-même et le maintint paralysé, tordant son bras au seuil de la fracture et pointant simultanément sur son gosier une longue lame fine, sortie d'on ne savait où. Russel reconstitua la scène au son et siffla d'estime entre ses dents. Pendant que Buck, cassé en deux par l'étreinte du blanchâtre, soufflait lourdement en suppliant les officiers de jeter un ordre, Armstrong Jones consolidait sa prise, égrenant toujours ses syllabes muettes et promenant son regard vide sur les ondulations de tôle des parois. Gutman regarda un moment les deux hommes noués et consulta Raph d'un coup d'œil. Raph assentit d'un hochement. L'obèse se tourna vers les officiers.

— C'est bien, il fera l'affaire.

Puis, à l'adresse d'Armstrong Jones :

— Vous pouvez le lâcher, maintenant. C'est très bien.

Armstrong Jones lui jeta un regard horrifié, resserra son étreinte et accentua la pression de la lame sous laquelle roulait, affolée, la pomme d'Adam de Buck, lequel se mit à glapir à l'instar d'un goret sacrificiel. L'un des officiers scanda une onomatopée canaque, et, avec la même promptitude, l'albinos démêla le corps endolori de Buck et regagna sa place initiale, où il se replongea dans sa prostration autistique.

— Il ne comprend que nous, expliquèrent les officiers jubilants et gênés. On dirait qu'il connaît votre langue, mais il n'obéit qu'aux ordres donnés dans la nôtre. De toute façon, il n'en parle aucune. Il ne parle jamais. Il est spécial.

— Oui, reconnut Gutman, il a l'air spécial. Pourrions-nous le voir à l'entraînement ?

Ils sortirent de la baraque. Les officiers rassemblèrent leurs hommes, et Armstrong Jones exhiba à nouveau son agressivité, combattant indifféremment et avec un égal succès chacun des mercenaires. La plupart se prêtèrent au jeu avec une résignation enjouée, comme s'ils étaient par avance fixés quant à l'issue de ces affrontements. La certitude de leur impuissance face au lutteur mutique les poussait, par fatalisme ou par économie, à se laisser complaisamment tordre en tous sens avant de déclarer forfait au plus vite. Soucieux de l'objectivité de la démonstration, les officiers durent ainsi opposer Armstrong Jones à un groupe de trois mercenaires choisis parmi les plus musculeux et les moins complaisants. L'albinos emporta le combat avec la même aisance, comme si l'apparente vacuité de son esprit le rendait assez disponible pour ne laisser se concentrer en lui que la vitesse et la technicité. Ces préliminaires achevés, on fit admirer aux visiteurs les capacités d'Armstrong Jones sur différents types d'armement ; elles étaient équivalentes.

Gutman admira, confirma son accord, et promit tout ce qu'on voudrait en échange d'Armstrong Jones. Il donna des instructions pour que tout fût prêt en vue du prochain départ de celui-ci dans l'île. Les officiers ne cachaient pas leur satisfaction, au point qu'on pouvait les soupçonner de se féliciter du départ d'Armstrong Jones ; tout excellent élément qu'il fût, il ne devait pas manquer en effet d'occasionner quelques difficultés relationnelles avec les autres mercenaires, qui, s'ils n'atteignaient pas sa virtuosité pugnative, devaient jouir en revanche d'un équilibre psychique plus conforme. Par ailleurs, l'annonce d'une prochaine livraison de pistolets-mitrailleurs devait s'être répandue dans le camp, car, lorsque la Plymouth prit le chemin du retour, elle fut escortée et ovationnée par une trentaine de faces hilares. La voiture s'engagea en cahotant sur le chemin de terre, pendant que ses occupants commentaient d'un ton professionnel les exploits du mercenaire psychotique.

25

Le soleil grimpa vers son zénith, éparpillant ses premiers dards sur l'île, et persuadant les marsupiaux qui en peuplaient les arbres de se tapir sous le feuillage pour y somnoler jusqu'au soir. Paul ne fut pas long à s'éveiller, car Joseph, tôt levé, s'activait bruyamment. Tristano dormait un peu à part, dans un coin éloigné de la pièce arrangé en alcove, et Paul observa que Joseph respectait son sommeil : le volume sonore de son remue-ménage n'outrepassait pas certaines bornes et se contenait soigneusement en deçà du seuil de l'alcove.

Joseph avait fait chauffer de l'eau. Paul prépara du café et sortit de la salle, arrachant au passage deux bananes d'un régime qui traînait. Dehors, il faisait déjà un peu trop chaud. Paul boitait un peu, formellement, mais sa jambe ne lui faisait presque plus mal. Il s'assit par terre et s'adossa à un tronc d'arbre. Il mangeait lentement ses bananes, en les trempant machinalement dans son café. Il passa un moment à regarder les alentours, qui lui plurent. Le soleil, dans son parcours, troua les arbres et décocha sur son crâne un rayon vrillant ; Paul se poussa dans l'ombre. Ses yeux fourmillaient encore un peu. Il s'assoupit.

Quand il émergea de sa torpeur, ses yeux tombèrent en s'ouvrant sur la porte du rez-de-chaussée, dans le rectangle obscur de laquelle se distinguaient l'ombre du petit palmier et les premiers degrés de l'escalier inachevé. Il vit Joseph qui en sortait, sans doute après avoir éveillé Caine, avant d'escalader l'échelle jusqu'à l'étage du palais. Puis ce fut Caine lui-même qui apparut dans l'embrasure, les yeux mi-clos et sans doute eux aussi fourmillant.

Une serviette-éponge était pliée sur l'épaule de l'inventeur, un miroir coincé sous son bras, et il portait entre ses mains, précautionneusement, presque liturgiquement, comme un enfant de chœur transportant d'un bout à l'autre de l'autel un matériel beaucoup trop lourd pour lui, un blaireau dans un bol de mousse. Il s'éloigna du palais sans apercevoir Paul, que l'ombre camouflait. Il imprimait tout en marchant un léger mouvement rotatif au blaireau, épaississant et démultipliant la mousse dont un paquet fusait parfois hors du bol, éclaboussant le sol de l'île. Paul songea que sur cette terre retirée, et sans doute ignorante pour l'essentiel des apports de la civilisation, la probabilité était bien faible pour qu'aient pu souvent choir des flocons de crème à raser ; peut-être était-ce la première fois. Peut-être le sol éprouvait-il à ce premier contact une authentique sensation, bouleversante de nouveauté.

Byron Caine s'arrêta auprès d'un arbre, pissa contre, n'en éprouva aucun soulagement. Ça n'allait pas, comme chaque matin. Comme chaque matin, il éprouvait une fatigue fatale, le corps empli d'eau et de plomb, et corrélativement l'envahissait un vague désir de mourir, ou plutôt de disparaître sur-le-champ, de se dissoudre. Il accrocha son miroir à une branche basse et s'expédia un premier regard, furtif et prudent. La vue de son propre visage, et de son œil fixant son œil, lui procura une nausée ; il raisonna. Pour parvenir à se raser, et donc à s'inévitablement voir, il devait se persuader que ce n'était pas lui qu'il regardait, mais la scène anonyme d'une main anonyme rasant un visage anonyme. Il en était capable. Il y était arrivé. Il était même arrivé quelquefois, dans un effort d'abstraction démesuré, à supprimer la notion même de rasage, et jusqu'aux idées de visage et de main. Il pouvait alors, dans ces moments privilégiés, sectionner ses poils faciaux en considérant l'action de loin, comme un événement radicalement extérieur, mais qu'il menait jusqu'à son terme, et généralement sans se blesser.

Il enduisit longuement son visage de mousse en recouvrant un maximum de peau, comme un masque. Puis, tirant son rasoir de sa poche, il se démasqua. Il procédait méticuleusement, dénudant ses joues par longues traînées parallèles, avec un certain souci de symétrie. Et, peu à peu, son humeur s'inversa, et il se mit à jouir de cette activité, comme s'il profitait intensément de la seule qui lui fût permise. Il en observait le reflet comme on observe un mécanisme, s'étant dégagé de toute considération contingente touchant au rasage lui-même, à sa technique et à ses effets, aux précautions y afférentes et à ses accidents toujours possibles, contemplant la chose en spectateur, comme une opération abstraite et pure, neutre, dénuée de toute utilité, évidente, parfaite. Il écoutait le travail bruissant de la lame sur les poils, au ras des follicules, précis et régulier comme un moteur d'engin.

Cela fait, il s'essuya le visage pour disperser les coulées de savon. Il examina l'ouvrage et constata une omission : une zone de rugosité pileuse se terrait encore, épargnée, sous l'angle du maxillaire droit ; d'un geste conclusif, il faucha les francs-tireurs. Puis il démonta son rasoir, nettoya la lame et la glissa dans son étui de papier fin, son regard croisant au passage celui de l'inventeur de cette lame, dont le visage fier et moustachu décorait l'emballage. Ayant ainsi franchi sa quotidienne épreuve du miroir, Byron Caine rejeta sa serviette sur son épaule

161

et retourna vers le palais pour affronter la non moins quotidienne épreuve du petit déjeuner, ce dernier se résumant, vu son dégoût morbide des aliments, à l'ingestion d'une tasse d'eau chaude.

Paul le regarda partir, déglutit son café refroidi et, laissant sa tasse vide au pied de l'arbre, se dirigea vers le jardin potager. Il voulait s'assurer que des choux-fleurs y poussaient bien, comme l'affirmait Joseph. Il en poussait. Environnées de tomates étiques et bordées de vastes feuilles dentelées, émergeaient en effet des inflorescences sphériques et laiteuses, dont les reliefs vallonnés et tortueux évoquaient irrésistiblement des circonvolutions cérébrales. Paul gratta la surface d'un légume et huma : une odeur de chou-fleur indiscutablement, quoique nuancée d'une fragrance exotique, indéfinissable, résultant sans doute de la conjonction des apports particuliers de l'humus îlien et de l'inattendu microclimat ami du crucifère. Paul envia le sol de l'île de pouvoir découvrir ainsi des sensations inconnues, qu'il s'agît du picotement onctueux et glacé du savon à barbe épandu sur sa surface ou du chatouillement spécial, inédit, provoqué dans ses entrailles par le développement radiculaire du chou. Peut-être cette terre isolée, exilée au milieu d'un océan, était-elle avide d'autres stimulations encore, de nouvelles découvertes. Paul éprouva comme une compassion à son égard et la foula d'un pas prévenant et mesuré en quittant le potager vers la mer, à seule fin de promenade.

A cinq cents mètres, une petite pirogue à balancier accosta sans bruit et se traîna sur les galets avant de s'immobiliser, dissimulée par un foisonnement de fougères énormes. Armstrong Jones tira de sa ceinture un pistolet automatique Astra 400 au long canon étroit, sauta sur la berge et s'enfonça dans l'imbroglio végétal.

En regagnant l'étage du palais, Joseph avait trouvé Tristano levé, un bol de café à la main, considérant toujours ses cartes.

— La fille est arrivée hier soir à Manille, annonça Tristano, Parkinson et Poiret se sont occupés d'elle jusqu'aux îles Truk. Arbogast est parti la chercher ce matin, ils seront là dans un moment.

— Cette fille, dit Joseph, c'est l'amie de Blaise, non ?

— Je crois.

— C'est curieux, cette idée de faire venir sa femme pour qu'elle s'occupe de quelqu'un d'autre.

— C'est son affaire, hein, dit Tristano, c'est leur affaire.

— Ça va me faire un drôle d'effet de voir une femme, soupira Joseph, il y a si longtemps. L'amusant, c'est que l'autre attend toujours son puzzle et on va lui offrir une femme à la place.

— Oui, dit Tristano.

— C'est que ça n'est pas pareil.

— Je ne sais pas, dit Tristano.

A l'extérieur grinça l'échelle ; quelqu'un à l'étage montait.

— Le voilà, chuchota Tristano. Plus un mot là-dessus.

La tête de Caine apparut, suivie de son corps tout entier qui entra dans la salle, se dirigea vers le réchaud, l'alluma et y posa un récipient plein d'eau. Le liquide immobile et limpide se troubla d'abord sous la chaleur, s'opacifia, frémit, et s'agita enfin à gros bouillons tout en récupérant son initiale transparence.

— Vous savez ce qu'on dit, ça empêche le lait de bouillir quand on le regarde, dit Tristano complaisamment.

— Préconception, répondit l'inventeur.

Il vint s'asseoir près de Tristano, laissant refroidir son verre plein d'eau bouillie sur la carte figurant l'eau salée.

— Et mon puzzle, vous avez des nouvelles ?

— Arbogast est parti ce matin, éluda Tristano. Il rentrera dans la journée, on verra bien ce qu'il a trouvé.

— Beau temps, dévia Joseph.

163

— Oui, s'empressa Tristano, c'est le meilleur moment de la journée, quand il fait encore un peu frais. A propos, est-ce qu'il ne faudrait pas arroser les légumes ?

— C'est vrai, obéit Joseph, avant la grosse chaleur. J'y cours.

Il s'en fut.

— Je comprends votre intérêt pour les puzzles, dit Tristano après un temps de transition. Mais il me semble que ce qui est important, ce n'est pas l'image elle-même, l'image finie, reconstituée. Une fois assemblée, on ne doit plus lui trouver d'intérêt. Ce qui est plus séduisant, c'est que chaque fragment de cette image ne représente rien, la plupart du temps. Un fragment de puzzle, c'est informe, c'est abstrait, c'est presque identique à n'importe quel autre fragment, et d'ailleurs ça pourrait faire partie de n'importe quelle autre image.

Ici, il plaça une pause. Caine l'écoutait, ou feignait.

— C'est un peu comme le langage, insista Tristano, vous voyez ce que je veux dire ?

Caine trempa l'extrémité d'un doigt dans l'eau et l'en retira vivement.

— Je ne vous avais jamais entendu parler autant.

— Ça m'arrive de temps en temps, dit Tristano.

Alors ils entendirent trois détonations, proches et rapprochées. Ils coururent tous deux vers la fenêtre, Caine directement, Tristano après un détour par l'alcove d'où il ressortit les mains encombrées de deux revolvers 92 espagnols.

Sans trop s'éloigner du palais, Paul avait déambulé dans l'île en s'étonnant de la soudaine sympathie qu'il éprouvait à son égard, et qui tranchait avec son amertume des derniers jours. Sans doute l'apaisante perspective de retrouver Vera décoinçait-elle un peu sa perception du monde et permettait ainsi à Paul de s'abandonner à son spectacle. Sans savoir comment, sans avoir imaginé le moindre plan, ni même une ébauche de plan, un plan de plan, il attendait Vera pour s'enfuir avec elle. Ce serait plus facile à deux. Supposait-il.

Il s'arrêta, regarda encore autour de lui. Faune, flore et climat, sans parler du sol, composaient un décor harmonieux qui l'émut. Au décor se superposa l'image mnésique de Vera, qui l'émut derechef. Il compara les émotions. Son affection pour l'île était encore toute fraîche, elle datait de quelques heures. Son amour pour Vera était plus ancien, plus érodé, contestable parfois et souvent contesté, par elle ou par lui. Il faisait encore assez bon.

Il faisait bon, et, un instant, il crut se surprendre à regretter l'arrivée de Vera ; mais ce n'était que l'ombre d'un regret, il fit se dissiper cette ombre. Il reprit sa marche.

Il allait parmi les massifs de xanthorrées, flottant d'une idée à l'autre, et délaissant les graves pour s'attarder aux plus légères. Il pensait par exemple en cet instant à l'empreinte de ses pieds sur le sol. Ce point précis de l'île était-il vierge ? Et sinon, dans quel sens avait-il été foulé ? Par quels pieds ? Le sol ressentait-il différemment les divers types de pieds ? Etait-il sensible aux variations de pointure ? Et ses propres pieds à lui, Paul, qu'en pensait donc le sol ? Autant de questions préoccupantes extrêmement.

Il aperçut Joseph qui descendait du palais et s'éloignait en direction du potager. Il se tassa contre un buisson pour inspecter l'entretien des légumes : Joseph maniait l'arrosoir avec mesure, arrachait les mauvaises herbes, les feuilles flétries, binait à petits coups autour des végétaux ; on eût dit un retraité dans son jardin pavillonnaire. Paul sourit, et le regarda faire. A vingt mètres de lui, tassé contre un autre buisson, Armstrong Jones observait Paul observant Joseph.

L'albinos appliqua les consignes sommaires qu'on lui avait administrées : débarquer dans l'île, tirer sur quel-

165

qu'un, voir ce qui se passerait et agir en conséquence. Il se dressa silencieusement, voûta son dos, fléchit ses jambes et tendit ses bras parallèlement devant lui, les mains jointes autour de la crosse de son arme. Il visa soigneusement Paul et pressa sur la détente à trois reprises.

Une particularité de l'Astra 400 étant d'absorber et d'expulser indifféremment toutes sortes de projectiles, trois balles dépareillées traversèrent l'espace l'une après l'autre avant de s'installer dans le corps de Paul, qui battit des bras, tomba et mourut sans souffrance apparente, presque instantanément, mais non sans que l'eût traversé l'idée que le sol et lui-même allaient se retrouver d'une façon inattendue.

Joseph réagit le premier en extirpant de sa veste un Tokarev dont il perdit du temps à ôter la sûreté. Avisant Armstrong Jones qui courait à travers les arbres, il entreprit de vider son chargeur vers la pâle silhouette mobile. Au quatrième coup, la silhouette accusa un coup de vieux et Joseph se lança vers elle. Tristano à sa suite également courait, brandissant les engins hispaniques.

Armstrong Jones était blessé, mais il avait de l'avance. Parvenu au rivage, il eut assez de temps pour mettre la pirogue à flot, y sauter, puis il se mit à ramer énergiquement en direction de l'horizon. Tourné vers l'île, et tenant de la même main son arme et sa pagaie, l'albinos protégeait sa fuite en tirant et ramant alternativement. Surpris par les impacts précis essaimés autour d'eux, Tristano et Joseph s'aplatirent d'instinct dans les fougères. Quand ils se furent relevés, Armstrong Jones était déjà hors de portée de leurs armes, qu'ils déchargèrent malgré tout vers la pirogue, n'obtenant en retour que le clapotis dérisoire du plomb sur l'eau salée. Ils n'atteignirent qu'un poisson, sans le savoir. Le poisson se tordit et se raidit, comme un passant victime d'une balle perdue, et pivota lentement sur lui-même en remontant vers la surface où il resta flottant entre deux eaux, ballotté par les vagues, son ventre blanc tourné vers le soleil.

— Ce n'était pas un type d'ici, observa Joseph d'une voix morne, éteinte, accablée et usée. Ce n'était pas un type de la région.

— Et le hors-bord, commenta Tristano d'une voix étouffée, basse, soucieuse et ulcérée. Il a fallu que ça arrive quand le hors-bord n'était pas là.

Ils étaient immobiles, debout, les pieds dans la fougère, considérant l'esquif qui rapetissait en s'éloignant jusqu'à ne plus constituer, classiquement, qu'un point.

— C'est peut-être pour ça, supputa Joseph, le type savait que le hors-bord n'était pas là. Peut-être.

— Peut-être, échoïsa Tristano. Caine n'est pas blessé ?

— Ça m'étonnerait, dit Joseph.

Caine s'était assis près de Paul, qui n'était plus que le cadavre de Paul. Il le regardait sans comprendre et avec une tristesse sincère, bien qu'il l'eût peu connu de leurs vivants communs. Une certaine confusion noircissait encore sa tristesse, car il se sentait obtus et gauche devant feu Paul, comme démuni. Il supposait l'existence d'une sorte de code de politesse nécrologique, d'un type particulier de conduite à tenir, de certains gestes précis, reconnus et consacrés, applicables sans risque à toute situation comportant un ou plusieurs cadavres, mais il ignorait malheureusement toutes ces choses. Lui vint à l'idée qu'il était d'usage, du moins au cinéma, de fermer les paupières des défunts. Paul gisait face contre terre. Caine dut le retourner, non sans des égards extrêmes que jamais il n'aurait accordé à un non-mort ; mais Paul avait fermé les yeux en expirant, et l'inventeur en éprouva un léger sentiment de frustration, suivi d'un lourd affect de culpabilité, celui-ci sanctionnant celui-là. Il ramena les bras de Paul le long du buste, n'osa pas lui croiser les mains sur la poitrine, remit ses jambes en ordre et déplaça une mèche sur son front. Puis il regarda longuement et attentivement son visage, comme s'il s'attendait à le voir s'éveiller. Il s'écoula quelques minutes avant qu'il réalisât qu'il s'y attendait vraiment.

Tristano et Joseph revenaient. Leurs pas étaient pesants, lents leurs gestes ; leurs têtes remuaient, et leurs lèvres ; ils parlaient à voix basse. Tristano prit le corps par les épaules et Joseph par les pieds, et ils rentrèrent au palais, Caine suivant le cortège comme son propre enterrement, le cou oblique et les mains dans le dos. Ils auraient pu enterrer Paul sur place, d'ailleurs, et tout de suite ; tous y pensèrent, nul n'osa. Tout au contraire, et sans savoir très bien pourquoi, ils hissèrent le corps, au lieu de l'inhumer, jusqu'à l'étage du palais. Non sans mal. Caine escaladait l'échelle derrière eux, esquissant des gestes d'aide qui n'atteignaient jamais leur but.

Joseph déploya une bâche verdâtre, l'épousseta un peu et la traîna vers l'un des rares espaces dégagés de la pièce, au pied du poste de radio. On y étendit Paul, dont le corps gisant sous la masse de chrome, parmi les ventilateurs épars, évoquait quelque moderne holocauste et faisait figure de victime, immolée à la télégraphie sans fil.

— Il faut le remplacer, maintenant, dit Joseph.

— Carrier n'a plus personne, j'ai encore appelé hier.

Caine ne dit rien ; il s'était accroupi sur un tabouret et dévisageait ses pieds, si la chose est possible. Joseph le regarda et tira d'une armoire une boîte de tripes.

— Onze heures, je vais préparer quelque chose à manger.

Tristano accueillit cette annonce par un regard surpris, Caine par un subit blêmissement. Il parut perdre l'équilibre, manqua tomber du tabouret et tituba vers la porte. Joseph l'escorta jusqu'à l'échelle.

— Il faut vous reposer, s'attendrit-il, vous êtes ému, c'est bien compréhensible. Ou alors essayez de travailler un peu, ça vous changera les idées.

Il veilla sur sa descente.

— Vous avez vraiment faim ? demanda Tristano.

— Pas encore, dit Joseph en remettant la conserve à sa place, mais je l'avais assez vu pour aujourd'hui, et la nourriture le tient à distance. Qui pouvait être ce type ?

— Je ne sais pas, je ne comprends pas. Il n'avait pas de raison de s'en prendre particulièrement à Blaise. J'aurais mieux compris s'il avait essayé de tuer Caine, ou même moi.

— Ou moi, rappela Joseph, vexé.

— Bien sûr, dit Tristano.

Et le temps passa, des heures, jusqu'à ce qu'il y eût du bruit dehors.

— Les voilà, dit Joseph.

— Allons-y, dit Tristano. Affrontons.

Vera était au bas de l'échelle, souriante, inavertie, Arbogast et Selmer un peu en retrait derrière elle. Joseph et Tristano descendirent pesamment l'un après l'autre, l'échelle grinçait et grinçait, ils étaient mal à l'aise. Ils se sentaient trop vieux, trop laids, trop sales, ce deuil récent leur épaississait l'esprit ; ils se présentèrent gauchement.

— Vous n'avez rencontré personne en revenant ? demanda Tristano.

— Personne, fit Arbogast. Pourquoi ?

— Un type est passé quand vous n'étiez pas là. Il est reparti, nous n'avons pas pu le rejoindre.

— Oui, alors ?

— Alors rien, dit Tristano. Rien rien.

— Où est Paul ? demanda Vera.

— Paul ? fit Joseph.

— Blaise, traduisit Tristano.

— Oh, produisit Joseph en se tournant.

— Il y a eu un accident, dit Tristano.
Silence.

— D'accord, dit Vera, j'ai compris. Montrez-le-moi.

169

Sa voix était gelée. Tristano s'effaça en désignant l'échelle.

— Montez les premiers, dit-elle, des fois qu'il y en aurait un autre en haut pour me tirer dessus.

Ils se murent. Arbogast se tourna vers Selmer.

— Nous, dit-il, on ne va pas tarder à y aller, peut-être.

Joseph et Tristano les regardèrent partir avec des expressions de reproche et d'envie, puis ils montèrent à l'échelle, précédant Vera. A l'étage, ils échangèrent un dernier regard affligé, juste avant qu'elle ne les rejoignît. Ils avaient prévu une terrible réaction, hystériforme et volcanique, et s'apprêtaient à une prestation classique de cris et de pleurs, de pâleurs et de chutes, et d'insultes variées à l'égard de l'ordre des choses dont ils se savaient malheureusement les premiers représentants disponibles. D'avance consternés par l'imminent spectacle, quoique excités intimement, ils se modelèrent un masque condoléant, attendant que sur eux dégringolât le douloureux maelstrom.

Vera traversa la salle et se pencha vers Paul et s'assit et resta un moment près de lui sans rien dire et ce fut tout. Elle pleura un petit peu, infiniment moins qu'ils n'auraient cru. Ils se tenaient derrière elle, se gardant bien de bouger ou de dire, soulagés bien qu'un peu déçus.

Grinça encore contre le mur l'échelle, et la tête de Caine apparut à nouveau dans l'embrasure. Vera ne se retourna pas. L'inventeur contempla la scène figée et se figea à l'unisson. Il n'osa pas faire allusion à son puzzle. Ce n'était sûrement pas le moment.

26

Abel mettait en ordre sa mémoire. Il parlait. Il racontait sa vie, découpait sa biographie en épisodes qu'il situait les uns par rapport aux autres, reconstituant quand il y avait lieu la logique de l'enchaînement. Carrier l'écoutait. Près de quinze jours avaient passé depuis leur rencontre sur le quai de Valmy, temps suffisant pour qu'ils sympathisassent, mieux se connussent, et de se revoir convinssent — temps nécessaire à l'un pour lui permettre de se documenter sur l'autre.

Pendant que cet autre discourait, Carrier commanda deux autres bières. Dehors, c'était un froid indescriptible, un froid historique ; l'hiver était à son acmé. Rampant à l'intérieur du bar malgré les bourrelets, doubles vitrages et radiateurs d'appoint, des filets d'air enrhumant s'insinuaient par les rainures, et, lorsqu'un nouveau client entrait, le monde extérieur déversait avec lui par la porte une masse gelée qui s'engouffrait fougueusement dans la salle, s'établissait au ras du sol et se répartissait insidieusement dans les chaussettes, se faufilant et s'infiltrant jusque sous les chaussures et les bas, pourtant doublés à cette occasion. Tous les pieds contenus par le débit s'en trouvaient soumis à un double mouvement : ondulatoire, des orteils se frottant les uns contre les autres ; rythmique, des semelles frappant en cadence le carreau glacial et gras.

Abel et Carrier se retrouvaient plusieurs fois par

semaine au Bar du Sporting, cadre initial de leur rencontre. Au début, Carrier avait beaucoup parlé. Ce faisant, il prenait soin de placer çà et là, dans une conversation généralement collée au quotidien et vouée à des sujets d'ordre général, quelque aveu retenu, quelque allusion intime à peine camouflée, quelque lambeau de jardin secret, qui étaient comme autant de portes entrebâillées par inadvertance au fil de son discours et sitôt refermées, mais avec assez d'ostentation pour qu'Abel fût tenté de les franchir et de s'abandonner lui-même à la confiance et à la confidence, dans l'ensoleillement d'une amitié naissante.

Le procédé sans doute n'était pas inhabile, car Abel crut sincèrement au bout de quelques jours avoir trouvé quelqu'un à qui parler, quelqu'un qui l'écoutât et qu'il pût écouter, occasion presque unique dans sa vie, et de toute façon trop rare dans n'importe quelle vie pour qu'on puisse se permettre de la négliger. Sa vie, Abel ne fut pas long à la conter à Carrier après que celui-ci lui eut narré la sienne, dans le détail l'un comme l'autre, à ceci près qu'Abel disait la vérité, ou ce qu'il tenait pour tel, alors que Carrier n'avait raconté que des mensonges. Abel évoqua son passé, enfance et adolescence incluses ; il parla de son métier, cita des femmes, des lieux, des moments. Il s'animait en s'exprimant, s'attachait à donner du relief à ses récits, se découvrait un talent de causeur. Il fabriquait des calembours, mimait des situations, convoquait des anecdotes ; Carrier riait de temps en temps ; Abel était ravi.

— Vous avez de la mémoire.

— Assez.

Ils burent chacun une gorgée de bière. Carrier garda son verre dans la main, l'œil distraitement posé sur la surface du liquide où surgissaient infatigablement des myriades de bulles, explosant à peine conçues, se joignant et se quittant, et formant dans leur brève existence des dessins mobiles, éphémères, à jamais perdus comme des fumées.

C'était bien intéressant à regarder. Et puis l'éruption bulleuse ralentit ; la bière allait s'aplatissant. Carrier mit une fin à son observation et avala les reliefs du liquide. Ça n'est pas tout ça, pensa-t-il. Au travail.

— Vous avez quand même de la mémoire. Les détails, les atmosphères, tout ça, il faut de la mémoire. Bravo.

Abel sourit sans répondre, se bornant à expulser un peu d'air par les narines.

— Vous avez la mémoire des dates, aussi ?

— Je ne sais pas, ça doit dépendre.

— Bien sûr.

— Essayons pour voir, proposa Abel, stimulé par une idée ludique. Dites une date au hasard.

— D'accord, fit Carrier. Au hasard. Je cherche.

— Pas trop loin quand même, prévint Abel, hilare, avec un geste.

— Ce qui me vient, dit Carrier. Tenez, par exemple, le 11 novembre 54.

La date produisit sur Abel un effet considérable. Ce fut comme si on lui avait tapé sur l'intellect avec une massue ; sa conscience ébranlée par le choc enregistra un bref magma sensoriel et confus de cris et de silence emmêlés, de froid et de chaleur extrêmes coexistant incompréhensiblement, bref l'émotion.

— Ça ne va pas ?

— Très bien, dit Abel en se frottant les yeux, rien du tout, un frisson.

— C'est ce temps aussi. Ce froid.

— Qu'est-ce qu'on disait ?

— On jouait, dit Carrier. Le 11 novembre 54, qu'est-ce qui s'est passé ce jour-là ? Qu'est-ce que vous avez fait ?

Pendant des années, Abel avait vécu dans la crainte qu'on fît un jour référence à cette date devant lui et

173

qu'on en vînt à lui poser cette question, seule question parmi toutes les questions imaginables à laquelle il lui était en même temps parfaitement possible et impossible de répondre. Puis, comme personne ne la lui posait, il avait eu le temps d'élaborer plusieurs réponses possibles, toutes extrêmement précises, extrêmement détaillées, mais aussi bien sûr extrêmement éloignées de la vérité, ou, toujours, de ce qu'Abel tenait pour tel. Ensuite, les années passant et les poseurs de questions s'abstenant de se manifester, il avait perfectionné ses arguments, et greffé sur chacune de ces réponses un système d'explication particulier, logique et cohérent, qui déployait en tous sens ses ramifications et s'étayait sur nombre de lois physiques, références historiques et assertions morales, pour aborder, au terme de son développement, les bornes du savoir humain et les lois générales régissant l'univers. Abel ne s'était jugé tranquille que du jour où chacun de ses alibis possibles, dûment revérifié, se révéla constituer à lui seul et à la fois une cosmogonie et une Weltanschauung.

L'habile alibi d'Abel se constituait ainsi de plusieurs systèmes de défense distincts et également mobilisables, chacun d'entre eux étant conçu pour s'adapter à la particularité des circonstances dans lesquelles on pourrait lui poser la question fatale, si on la lui posait. Et, bien que le temps eût passé, et passé pendant si longtemps depuis ce jour de novembre qu'Abel avait fini par décontracter un peu sa crainte, il révisait régulièrement ses argumentations, comme on travaille un instrument, se sommant intérieurement de s'expliquer dans tel ou tel contexte, le contexte le plus fréquemment imaginé étant un bureau enfumé, bourré de policiers butés, braqués, brutaux.

Las, lorsque Carrier articula la date redoutée, Abel fut si surpris qu'il ne parvint à actionner aucun des dispositifs justificatoires si patiemment mis au point. Même, il les oublia tous sur-le-champ. N'ayant jamais envisagé

174

que la question pût ainsi surgir au milieu d'une discussion amicale, et n'ayant d'ailleurs jamais été tout à fait sûr de savoir exactement ce qu'était une discussion amicale, il avait négligé d'élaborer un système de défense approprié au cas, jugé trop improbable. Par ailleurs, sa stupeur réduisant à l'extrême toute souplesse intellectuelle, il lui fut impossible d'adapter à la situation l'un des systèmes existants, tant est ravageur l'effet de l'imprévu. Émergeant de son trouble, il produisit un rire étroit.

— C'est loin, dit-il, c'est bien loin. C'est vieux.

Il désira une cigarette, se souvint qu'il ne fumait pas, finit par se calmer. Un hasard, pensa-t-il, un malheureux hasard.

— L'anniversaire de l'armistice, plaisanta-t-il jaunement. Le (il calcula) trente-quatrième, je crois. Sinon, je ne vois rien. C'est loin.

Carrier regardait ailleurs, le visage éteint. Il se tourna vers Abel, croisa son regard misérable et ponctua ce croisement d'un sourire paisible, comme si rien ne s'était passé.

— C'est vrai que c'est loin, dit-il d'une voix vaguement nostalgique et enjouée.

Abel s'apaisa. Rien ne s'était passé. Le ton de Carrier était celui d'un ami prenant amicalement en faute un autre ami dans le cadre d'un petit pari amical lancé avec amitié, et rien d'autre. C'était un malheureux hasard. Carrier commanda d'autres bières encore. Ils burent.

— Pas si loin que ça, quand même, reprit Carrier en réprimant une éructation. Vous veniez juste d'avoir vingt-six ans, non ? C'est bien ça ?

Le malheureux hasard se tordit en deux. Abel le vit se recroqueviller, s'amenuiser, fondre, comme un bloc de polystyrène sous l'effet d'une lampe à souder. Accablante était pour Abel la précise assurance avec laquelle Carrier lui rappelait son âge en cette fin d'automne 1954. Jamais en effet, malgré le déballage autobiographique auquel il s'était livré depuis leur rencontre, jamais Abel n'avait dit son âge à Carrier, ni décliné sa date de naissance. De cela il était certain ; et cette certitude acheva de l'achever. Que l'autre pût ainsi le dater, avec une précision à ce point démunie de gestes d'à-peu-près et de mimiques exprimant des calculs préalables, le conforta dans l'idée que Carrier savait sur lui des choses. Bien sûr, cette estimation chronologique pouvait n'être encore qu'une amicale supposition : Abel ne paraissait ni plus vieux ni plus jeune qu'il était, il faisait son âge, un âge facile à estimer ; il n'était au fond besoin que d'une simple soustraction pour déduire de cette estimation l'âge qu'il avait eu en 1954. Mais la particularité de la voix de Carrier énonçant cet âge dénotait mieux qu'une supposition, pire qu'une certitude : un savoir.

Abel, s'efforçant pourtant de se suspendre aux débris du malheureux hasard, comme on peut s'accrocher dans sa chute, pour un moment que d'avance on sait bref, à un mauvais buisson heureusement surgi au flanc du précipice, mais qui cède lentement sous le poids du chuteur, Abel, donc, se voua à ne pas tenter d'infléchir le cours des choses et mobilisa toute sa force à se faire un faciès inchangé, indifférent, égal.

Pendant ce temps, Carrier discourait sans transition sur la mémoire. Ainsi certains avaient de la mémoire, d'autres non. Et puis il y avait différentes sortes de mémoire, la mémoire des noms, la mémoire des visages, la mémoire des lieux, des dates, des détails. Il y avait des gens qui n'avaient qu'une sorte de mémoire, d'autres qui en avaient plusieurs à la fois, d'autres n'en avaient aucune plus particulièrement, tout cela dépendait d'on ne savait quoi. Ce avec plein d'exemples à l'appui. Abel approuvait tout, écoutait sans entendre.

— Oui, dit-il, la mémoire.

Et ils poursuivirent leur échange, sur le ton familier qu'ils avaient accoutumé. Ils parlèrent ainsi un moment de la mémoire, tout comme ils parlèrent ensuite et successivement, par un jeu d'associations métonymiques ou métaphoriques qu'il n'y a pas lieu de rapporter dans le détail, du sommeil, de la qualité de la bière, de la guerre d'Algérie, des Anglais, du tour de France, des journées courtes en hiver, longues en été, enfin des avantages respectifs de l'une et l'autre saison, large tour d'horizon au bout duquel ils se quittèrent.

Rien dans leurs relations n'apparemment changea. Abel se lassa vite de guetter quelque nouvelle allusion inquiétante dans le discours de Carrier, lequel d'ailleurs se garda d'en émettre. Ils continuèrent de se retrouver au Bar du Sporting, causant et buvant des bières, sans que jamais l'un parût contraindre l'autre à ces paisibles rendez-vous. Rien ne changea, à ceci près qu'Abel pensait que Carrier savait, que Carrier savait qu'Abel pensait qu'il savait, qu'Abel pensait que Carrier savait qu'il pensait qu'il savait, et le reste à l'avenant, à l'infini, ad libitum.

Un jour, en fin d'après-midi, après avoir un moment dégoisé sur la couleur du ciel, le goût du café, l'éclairage au néon, les garagistes, le problème du sucre et les charmes de la demi-saison, ils se plurent à imaginer ce que l'on pourrait trouver dans la Seine si celle-ci, par hypothèse, venait à s'assécher. Assurément s'éclairciraient bien des mystères. Cette fiction constitua pour Carrier une manière de tremplin conversationnel, d'où il s'élança pour se répandre longuement dans des récits de mystères et de secrets divers, récents ou anciens, grands ou petits, voilés ou dévoilés. Défilèrent les énigmes. Abel, aux yeux de qui Carrier avait fini par en constituer une, d'énigme, à lui tout seul, éprouva un trouble que l'autre ne parut pas remarquer lorsqu'il aborda le chapitre des sociétés secrètes, thème intarissable et sur lequel, d'ailleurs, il ne tarissait pas.

Carrier possédait bien son sujet, exposant d'étranges

177

systèmes dont Abel n'aurait jamais imaginé qu'ils exis-
tassent. Mais à son réel intérêt pour ces choses se super-
posait une sensation floue, comme si les propos de
Carrier, en dépit de leur ton érudit et désintéressé, rece-
laient un message informulé et encore indéchiffrable,
comme s'il eût fallu les décoder, et comprendre à travers
eux un discours latent, tout différent, qui ne concernait
qu'eux-mêmes, que lui et lui devant leurs bières. Abel
tenta d'accoster ce second, ou troisième, ou dixième degré
de compréhension, mais, n'éprouvant en retour qu'une
espèce de vertige psychique, il s'en tint au discours
manifeste.

Dans l'instant, Carrier s'attachait à décrire l'organisation de l'Omladina, société secrète tchèque dont le fonc-
tionnement, calqué sur celui d'un groupe de Carbonari,
avait été révélé au public en 1893 au cours d'un débat
judiciaire. Abel, quoique taraudé par la préoccupation
du message latent, salua ce trait d'érudition d'un haus-
sement sourcilier.

— Les dirigeants de l'Omladina, expliquait Carrier,
avaient selon leur importance le grade de pouce ou de
doigt. Au cours d'une première réunion confidentielle,
les membres du plus haut niveau élisaient un premier
pouce, lequel désignait quatre doigts qui procédaient à
l'élection d'un nouveau pouce. Ce second pouce choisis-
sait alors quatre nouveaux doigts qui élisaient un troisième pouce, et ainsi de suite. Du côté des pouces, seul
le premier connaissait tous les autres, qui ne se connaissaient pas entre eux. Quant aux doigts, seuls se connaissaient les quatre subordonnés à un même pouce. Toutes
les activités de l'Omladina étaient menées par le premier
pouce, le chef. C'était lui qui informait les autres pouces
des actions projetées, lesquels pouces transmettaient leurs
ordres à leurs doigts respectifs qui les communiquaient à
leur tour aux membres de l'organisation qu'on leur avait
attribués.

Abel n'en revint pas. Carrier vida son verre, emplit d'air ses poumons.

— De même, embraya-t-il, les chevaliers guelfes, dont l'instance suprême se composait de six membres qui ne se connaissaient pas, la communication n'étant possible entre eux que par l'intermédiaire d'une seule personne qu'on appelait le Visible. De même le groupe des Pythagoriciens, dont le système de protection se fondait sur le contraste entre membres exotériques et membres ésotériques. De même.

Ce soir-là, ils s'attardèrent au Sporting beaucoup plus tard qu'à leur habitude. Abel écoutait Carrier avec un intérêt d'autant plus vif qu'il se sentait toujours, au fil des mots, davantage concerné dans son existence propre, sans qu'il pût exactement préciser pourquoi ni comment. Ils se firent apporter d'autres bières, avec des omelettes bordées de brun qu'ils laissèrent refroidir, absorbés qu'ils étaient. Carrier parlait, parlait, évoquant tour à tour le Clan-na-gael irlandais, les Chauffeurs français du dix-huitième siècle, les Maîtres Constructeurs africains, les Gardunas espagnols liés à l'Inquisition, la Cour vehmique allemande, la société des Mystères, l'ordre des Druides. Il exposa comment les Vaudois, par exemple, je vous prends les Vaudois je pourrais vous prendre autre chose mais je vous prends les Vaudois, donc, comment les Vaudois, qui n'avaient pas de vocation particulière à se constituer en société secrète, furent contraints à en former une au treizième siècle de par leur obligation de se tenir cachés. Il s'apprêtait à brosser la fresque de leur affaiblissement, dû notamment à une carence de centralisation active, lorsque le garçon fit mine d'empiler des chaises sur leur table.

Ils regardèrent autour d'eux, l'œil un peu hagard. La salle s'était vidée sans qu'ils s'en aperçussent. L'autre garçon poussait devant lui un balai sur le sol. Le patron du Sporting bâillait infiniment derrière le comptoir, négligeant de masquer la béance convulsive avec sa main, comme le conseille l'usage. Sa supposée épouse groupait des banknotes par petits tas de dix, les reliant d'un preste et sinueux coup d'épingle. Il fallait se lever, partir. Ils entrèrent dans leurs manteaux.

Dehors, le froid les empêcha de parler. Ils se séparèrent à une station de taxis, chacun prenant une voiture différente, sans échanger plus de deux mots ni convenir de leur prochaine rencontre. Carrier fila vers Nanterre et Abel, troublé, regagna la rue de Mogador.

Le surlendemain, Abel retourna au Bar du Sporting où il trouva Carrier assis, l'allure peu bavarde et le visage clos. Abel tenta de l'aiguiller sur ses rails de l'avant-veille, mais en vain ; l'autre n'émettait que des monosyllabes, déserté apparemment de toute frénésie oratoire.

— Pas bavard, fit observer Abel.

— Toujours parler, gémit Carrier, à quoi bon. Et pour dire quoi.

— Bien sûr, reconnut Abel, on peut voir ça comme ça.

Un temps s'écoula. On apporta leurs bières. Un second temps s'écoula.

— J'ai une idée, articula Carrier.

— Oui, anticipa Abel, la bouche emplie de houblon fermenté.

— C'est à propos du paquet, dit Carrier. Parlons du paquet.

La gorge d'Abel se serra vivement, obstruant le passage du liquide qui tenta de s'enfuir par le nez, occasionnant une apnée passagère accompagnée d'étouffement, suffocation, vifs picotements nasaux, toux compulsive et pleurs irrépressibles, céphalée plus malaise.

— Allons allons, fit Carrier.

Il lui tapait dans le dos, comme on fait dans ces cas-là.

— Quel paquet, filtra le gosier contracté.

— Le paquet que vous transportiez le jour où nous

nous sommes rencontrés, sur le quai, vers Stalingrad, vous ne vous rappelez pas ? Un assez gros paquet, autant qu'il m'en souvienne, plutôt rond.

— Un moment, dit Abel.

Enfin dans son esprit les choses s'assemblaient. Sa fortuite possession du carton à chapeau, sa rencontre non moins fortuite avec Carrier, la particulièrement fortuite divination de son âge exact par celui-ci, enfin l'on ne peut plus fortuit surgissement dans la conversation d'une date essentielle de sa biographie, tout cela devenait susceptible de s'emboîter, toutes ces fortuités risquaient de s'annuler entre elles, et Abel de se trouver pris à un piège dont il pouvait distinguer quelques contours, quelques leviers, bien que lui échappât comme à tant d'autres la finalité du phénomène.

Abel se reprocha de ne pas s'être débarrassé du carton à chapeau comme il l'avait projeté, juste après qu'il en eut pressenti le danger potentiel. Le jour de sa rencontre avec Carrier, ils avaient passé un moment ensemble sans que le moindre propos fût tenu sur l'objet. Ensuite Abel était rentré chez lui, tout à son affaire de cette nouvelle connaissance, et conséquemment insoucieux du carton que par la suite il négligea, le remisant sur un inaccessible rayonnage et ne s'y intéressant plus qu'évasivement, toujours envisageant de s'en défaire, mais toujours contré dans ce projet par une certaine variété de paresse. Abel s'en voulut. Le carton à chapeau pouvait bien être en effet le premier déclic actionnant l'engrenage du piège, que renforçait irréversiblement le 11 novembre 1954. Tout cela était encore obscur, mais Abel s'attendrit sur lui-même. Le malheureux hasard gisait inanimé.

Quand même il se reprit, et somma rudement l'autre de dire où il voulait en venir. Carrier parut surpris, presque choqué de ce ton.

— Mais nulle part, protesta-t-il, rien du tout, j'ai subitement pensé à ce paquet, simplement. Je me sou-

181

viens qu'il m'avait frappé, je ne sais pas pourquoi. Je me demandais ce qu'il pouvait y avoir dedans. On s'interroge parfois sur de ces choses. Et puis je n'ai pas osé vous demander, je ne voulais pas être indiscret.

Sa voix sonnait très naturellement, il avait l'air peiné maintenant d'avoir irrité Abel, il offrait ses excuses ; Abel les accepta. Que croire. Cette fois encore, Carrier n'avait rien dit de plus que ce qu'on peut dire par hasard, rien n'outrepassait les bornes du hasard. Certes, l'accumulation de ces hasards convergents avait quelque chose d'accablant, mais de tout cela n'émergeait aucun indice réel du dispositif persécuteur qu'il venait de pressentir, tout pouvait encore être fortuit. Tout pouvait encore être mis sur le compte du malheureux hasard.

Le malheureux hasard retrouva ses esprits, ouvrit un œil, reprit son souffle et du poil de la bête. Malgré ses infinitésimales chances de survie, il était là, présent, possible, et Abel résolut de se cramponner à lui.

— Pourquoi ? fit Carrier, atroce. C'était quoi, ce paquet ?

Hasard ou non-hasard, il n'était pas utile de mentir. Eh bien, c'était un paquet dont Abel s'était trouvé dépositaire, qui contenait des objets dont l'utilité lui échappait, dont il avait envisagé de se débarrasser, précisément le jour de leur rencontre, et qu'il avait finalement gardé chez lui par négligence, inconséquence. Voilà ce que c'était. Carrier l'écoutait avec une expression de murène tapie au tréfond de ses pupilles, qui glaça d'horreur le malheureux hasard.

— Voilà, conclut Abel.

— Vous savez ce qu'on va faire ?

— A quel propos ? fit Abel qui, chevauchant le malheureux hasard hors d'haleine, espérait qu'on allait maintenant parler d'autre chose.

— Le paquet, dit Carrier, le carton. On va le ramener à son propriétaire.

— Mais je ne le connais pas, son propriétaire.

— Moi, dit Carrier, moi, je le connais.

Et il dit cela avec un regard tout neuf, qu'Abel ne lui connaissait pas, un regard inconnu mais débordant de sens, qui signifiait qu'on avait assez joué, que rien n'était fortuit, que Carrier, étant propriétaire du 11 novembre 1954, devenait de ce fait propriétaire d'Abel lui-même et de tout ce qui lui appartenait, paquet compris, et qu'il n'y avait plus rien à faire et plus rien à espérer. Le malheureux hasard, après avoir soutenu Abel à la limite de sa résistance, fit pivoter d'un coup de langue une molaire creuse, découvrant une ampoule de cyanure y cachée, l'écrasa entre ses dents, s'agita d'un spasme et s'effondra. Abel assista à son décès. Carrier se leva et annonça qu'on y allait. Un taxi fut hélé.

— Rue Mogador, édicta Carrier, et ensuite boulevard Haussmann.

— C'est comme si c'était fait, dit l'automédon.

27

Ils se hissèrent dans le canot automobile qui se cabra et démarra à vive allure. Selmer vira de bord, manœuvrant aigument comme s'il dérapait sur l'eau, et le petit bateau rabota la surface, arrachant dans sa volte des paquets d'écume qui retombèrent en large auréole autour de lui.

Leurs visages se paraient maintenant de barbes, Arbogast ayant brisé par maladresse, quelques jours plus tôt, l'unique miroir dont ils disposaient pour se raser. Comme il se désolait, Selmer l'avait consolé en proposant, puisqu'ils étaient de tailles et de morphologies voisines, de se raser désormais l'un en face de l'autre en symétrisant bien leurs gestes, chacun tenant lieu de miroir à l'autre. Essayons, avait dit Arbogast. Ils tentèrent l'expérience, se coupèrent effroyablement. Peut-être ne se ressemblaient-ils pas assez. Renonçons, avait dit Selmer.

Ce furent ces barbes, en revanche, qui les firent se ressembler de plus en plus. Masquant la plus grande part de leurs visages et atténuant ainsi leurs reliefs particuliers, elles laissaient à découvert deux fronts assez hauts et deux nez à peu près droits, uniformément cuits par l'astre. Leurs yeux étaient de teintes différentes mais, Selmer s'étant plaint de la lumière trop brutale et Arbogast lui ayant cédé sa paire de rechange, ils les dissimulaient tous deux sous des lunettes noires qui parfaisaient le mimétisme. Quand aux barbes, bien qu'elles fissent ainsi se confondre leurs visages par cet effet de masque, elles en constituaient en même temps, avec leurs chevelures, la principale différenciation de par leurs couleurs, noire chez l'un, chez l'autre jaune.

Virant autour de l'île, le hors-bord demeura tout au long du parcours incliné sur son flanc dans un angle invariable par rapport à la surface océanique, son nez levé vers le ciel, dans une position instable, déséquilibrée, inconcevable hors de l'eau, et traçant en longeant la côte un parfait sillon circulaire. Torses nus, immobiles, côte à côte sur les sièges de cuir rouge, et tournant ainsi sur leur petit bateau, leurs corps presque identiques à la couleur des poils près semblaient de petits sujets standardisés en matière plastique, issus du même moule et peints à la machine, personnages de pilotes miniaturisés et vissés, dans un modèle réduit de hors-bord tournant à toute allure dans le bassin octogonal du jardin du Luxembourg.

De retour au blockhaus est, ils se reposèrent un moment en écoutant Schumann, ou ce que de Schumann le petit magnétophone avait pu retenir. Arbogast aimait bien les romantiques. Schumann déroulé, Arbogast proposa qu'on partît visiter quelques îlots environnants, toujours en vue de découvrir l'hypothétique dépôt d'armes. Selmer reprit le volant, ils repartirent.

Selmer avait souvent rêvé auparavant de conduire une énorme voiture et, Arbogast lui ayant enseigné la pratique du hors-bord, il apprit très vite à le mener très vite, concrétisant ainsi de vieux désirs. Les cadrans du tableau de bord, le cuir des sièges et le volant façon ivoire n'auraient pas déparé un intérieur de Buick ; mais que le support de l'engin fût cette immensité liquide ouverte, disponible sans obstacle ni limite à toutes les évolutions — Selmer s'amusait parfois à dessiner sur l'eau de vastes paraphes, des monogrammes gigantesques, usant du hors-bord comme d'un style pour y tracer son nom maritime en lettres fugaces et mousseuses, et signant ainsi le Pacifique —, et que l'engin lui-même, chroniquement décapoté, possédât cette forme et ces flancs, cette tension et ce tangage, bref que la Buick fût un bateau, tout cela donnait un goût particulier à la matérialisation de ses anciens rêves automobiles.

Ils allaient vers le sud. Ils traversèrent d'abord une section de mer parfaitement plane, exclusivement aqueuse, vierge de toute émergence. Puis apparurent quelques solides : ils dépassèrent des atolls coralliens, des îlots madréporiques qu'ils connaissaient déjà. Apercevant l'un des atolls qu'ils préféraient, ils s'y accordèrent une pause et s'approchèrent lentement, sinuant avec précaution parmi les lignes de récifs et les brisants.

L'atoll avait, comme il est général, la forme d'un anneau, mais coupé en un point, et un passage étroit s'offrait par cette fracture du pourtour, lacune périphérique accédant à la lagune centrale, au milieu de laquelle Selmer arrêta le moteur. Les eaux de la lagune s'agitaient doucement, dans un mouvement de transition entre les accidents des vagues extérieures et la lisseur à peine froissable d'un étang — l'état intermédiaire en somme entre la mer et la piscine. Ils plongèrent.

Les yeux grands ouverts, ils nagèrent un moment dans l'eau presque trop bleue où se pressaient des poissons polychromes. Puis ils remontèrent à bord et s'étendirent, essoufflés, laissant l'eau s'évaporer sous le soleil et sur leur peau, où bientôt apparurent des traces de sel sec. Selmer observa que la lagune était bien plus salée que l'océan, et Arbogast lui assura que la salure de l'eau variait même selon les atolls. Allongés et flottants en son milieu, ils regardaient se déployer tout autour d'eux l'île annulaire, saturée de verdure et ceinte d'une plage déclive ; on eût dit une plate-forme arbitrairement émergée là, comme par erreur. Chacun voulut informer l'autre qu'ils se trouvaient à cet instant dans le cratère d'un volcan sénile, mais chaque autre le savait déjà. Séchés, ils quittèrent l'atoll.

Se risquant plus avant vers le sud, ils arrivèrent en vue d'une sorte de petit archipel très dense et comme contracté, constitué d'une forêt d'îlots de toutes tailles et toutes formes, très proches les uns des autres. Ils se touchaient presque parfois, et la mer entre eux et autour d'eux prenait selon leur espacement forme de canal, de rivière ou de ruisseau, ce qui la rendait humble. Certains de ces îlots avaient la dimension d'un square, d'autres celle d'un salon. Les plus grands semblaient des théâtres amphibies, les plus petits des lits flottants. L'ensemble paraissait un ancien massif rocheux, pulvérisé par un monstrueux séisme, et dont il aurait suffi de rejoindre les débris épars pour en reconstituer par emboîtement l'unicité originale.

— Curieux, exprima Arbogast, c'est comme un puzzle. Il faudrait y amener l'inventeur, un de ces jours.

— Visitons, dit Selmer.

Ils visitèrent. La plupart des îlots étaient plats, mais quelques-uns au contraire pointaient avec acuité hors de l'eau comme des clochers engloutis ; d'aucuns, semi-sphériques, semblaient de gros galets polis à moitié immergés ; d'autres enfin étaient informes. Certains étaient si rapprochés entre eux que l'on pouvait sauter de l'un à l'autre, en prenant son élan.

Selmer et Arbogast se répartirent les deux moitiés de l'archipel et se mirent en quête d'une éventuelle trace attestant qu'il n'était pas vierge. La nature de la trace n'étant pas définie par avance, il convenait d'être attentif au moindre détail, au plus infime indice. Au bout d'une heure de recherche, Selmer trouva la trace désirée. Il cria, Arbogast accourut. Ils dansèrent sur la trace.

C'était un carré de béton encastré dans le rocher, avec lequel, par mimétisme, il avait fini par se confondre.

Seul le sable accumulé dans les rainures et formant sur
son contour une sorte de cadre trahissait la présence de
cette dalle, à laquelle le temps, l'air, l'eau et tous autres
facteurs érodants avaient communiqué par leur uniforme
travail d'usure la couleur et la consistance de la pierre
alentour. Ainsi, après que des inconnus avaient humanisé
le rocher en y laissant leur maçonnerie, les éléments
s'étaient chargé de naturaliser le béton, juste retour des
choses, en en perfectionnant le camouflage. Arbogast
courut chercher dans le hors-bord une barre métallique
dont il usa comme levier pour soulever la dalle. Celle-ci
dégagée, un trou noir s'ouvrait à leurs pieds. Arbogast
tendit une lampe de poche à Selmer, lui abandonnant la
préséance.

Selmer coinça la lampe dans sa ceinture, prit appui
sur ses bras et se laissa glisser dans la béance en balançant
des jambes. Ses pieds rencontrant des échelons scellés
à la pierre, il s'y agrippa et disparut. Arbogast s'était
couché à plat ventre, la tête engagée profondément dans
l'orifice, comme au seuil d'un accouchement bizarre,
tellurique et inversé.

— Je n'y vois rien, cria-t-il. Qu'est-ce que vous voyez ?

— Rien, dit Selmer.

En effet, il n'y avait rien. Les échelons aboutissaient
à un réduit creusé dans le rocher, vide. Selmer promena
longuement le faisceau de sa lampe, en tous sens et en
vain. Levant les yeux, il vit au-dessus de lui la tête et
les épaules d'Arbogast, nettement découpées en silhouette
sur le bord d'un carré de ciel bleu ciel.

— Comment, rien ?

Selmer ne répondit pas, balaya encore avec sa lampe
les parois de l'îlot creux, puis la leva vers Arbogast qui
protesta en clignotant des yeux.

— Rien de rien, venez voir.

Arbogast descendit, chercha mieux et trouva quelque
chose. C'était une étiquette plastifiée, mais jaunie et

racornie malgré son revêtement imputrescible, sur laquelle était inscrite une suite de chiffres intercalés de lettres apparemment indicateurs de latitude et longitude.

— Tiens, fit Arbogast, c'est curieux.

— Quoi ?

— Ces coordonnées. Ce sont exactement celles de l'île de Gutman. Vous ne les reconnaissez pas ?

Mais Selmer, faute de les connaître, ne pouvait pas les re. Il s'étonna, évidemment. Quelle coïncidence. Mais comment.

— Raisonnons, dit Arbogast. Réfléchissons.

Ils retournèrent au bateau et s'y installèrent, non sans intercaler des linges entre leurs corps pensifs et les fauteuils brûlants. Ils s'établissaient souvent dans le hors-bord ancré pour réfléchir ou pour dormir, menant souvent ces deux activités de front. Ils avaient cru observer que les mouvements de tangage et de roulis donnaient plus de goût au sommeil, et activaient la réflexion bien mieux que l'immobilité terrestre. Immobilité relative d'ailleurs, nuançaient-ils lors de leurs conversations sur ce sujet, qui étaient d'ailleurs leur principal sujet de réflexion quand ils flottaient ainsi en somnolant — immobilité toute relative compte tenu de la rotation du globe, l'état flottant combinant donc les ondulations marines à ladite rotation, au-delà de laquelle il fallait encore tenir compte des autres mouvements, évidemment moins perceptibles, de la terre autour du soleil, du système solaire dans la galaxie et de celle-ci dans son éventuel contenant, sans parler des autres gestes inconnus de l'espace, plus vastes et plus généraux, mais auxquels, sans le savoir, ils étaient peut-être extrêmement sensibles.

Bien qu'ordinairement donc cette combinaison dynamique les grisât, ils ne se laissèrent pas gagner par la torpeur. Arbogast s'expliquait mal la teneur du message trouvé dans le réduit, qui pouvait indiquer qu'un matériel

anciennement contenu là avait été transféré sur l'île
où ils résidaient, alors que lui-même avait fouillé cette
île dans ses replis les plus intimes sans jamais y trouver
quoi que ce fût. Il se perdait en conjectures. Selmer avait
renversé sa tête sur le dossier ; il ne pensait à rien tout
en considérant l'air. Bientôt l'envahit une impatience
d'entracte, qui transformait les sièges du hors-bord en
fauteuils de cinéma et le ciel pâlissant au-dessus de
l'archipel en écran vierge prêt à se peupler, à se meubler.
Mais rien ne se produisit, rien ne vint ; seul l'ensoleillement se modifiait sensiblement, dans le sens du moins.

— On y va ?

— Oui, rentrons, dit Arbogast. Je ne comprends pas.

Ils s'en revinrent au blockhaus, où ils passèrent un
peu de Brahms à l'épreuve du magnétophone. Au son,
l'appareil semblait une poêle où l'on aurait mis Brahms
à frire, et ce bruit d'aliment leur donna faim. Arbogast
rassembla des boîtes de singe et de bière, des haricots
en conserve et des fruits autochtones, et Selmer proposa
d'aller dîner en forêt avant qu'il fît tout à fait nuit.
Saturé de paysages marins, il regardait vers l'intérieur
de l'île où saillait au premier plan un agencement minéral
chaotique. Deux silhouettes surgirent sur la gauche de
l'agencement, longeant la côte sans l'apercevoir en direction du nord.

— L'inventeur, annonça-t-il. Avec la fille.

Arbogast leva un œil sur les passants indistincts et
rentra dans le blockhaus d'où il sortit muni d'une petite
caméra 8 millimètres. Il régla l'objectif et entreprit de
filmer le couple, pivotant lentement sur lui-même pour
conserver Caine et Vera dans le champ de l'appareil,
en un long plan panoramique étiré, jusqu'à ce qu'ils
disparussent derrière l'agencement suivant. Selmer char-
gea les vivres sur le bateau.

Ils gagnèrent un point de l'île où la forêt bordait la
plage étroitement. Ils entrèrent dans un bosquet d'ar-

bres-bouteilles, au centre duquel Arbogast édifia un petit foyer pour chauffer les haricots pendant que Selmer ouvrait le singe. Lorsque tout fut prêt, ils retirèrent la bière en boîte du doigt de mer où elle fraîchissait et se mirent à manger lentement tout en parlant, adossés aux troncs renflés. Ils se racontaient leurs voyages, des histoires, des souvenirs, n'importe quoi.

Vers la fin du repas, par exemple, Arbogast, stimulé par la bière et se penchant sur le rebattu quoique toujours plaisant paradoxe wildien selon lequel la nature imite l'art, prit les arbres-bouteilles en exemple, démontrant que leurs troncs diversement ovoïdes ne faisaient au fond que parodier les formes des amphores, urnes, fiasques et autres flacons conçues par l'humain cerveau. La bière aidant toujours, ils dissertèrent sur la complémentarité dudit arbre-bouteille avec le chêne-liège européen, qu'il serait bon de planter côte à côte, l'un pouvant tenir lieu à l'autre de bouchon. D'ailleurs, convinrent-ils, on s'habituait mal à cette flore antipodale, et principalement aux arbres. Plus que les autres végétaux, les arbres tout particulièrement semblaient s'exprimer dans un étranger radical, impénétrable, indéchiffrable. Qu'on était loin des arbres européens.

— Moi, dit Selmer, celui qui me manque le plus, c'est le platane.

— Ah, le platane, s'exclama Arbogast. Louons le platane.

Et ils firent l'éloge du placide platane, arbre domestique, voué à l'ornementation des routes nationales et des places publiques, équivalent végétal de la vache, elle-même vouée à la décoration des champs, arbre dont on dispose à volonté, que l'on intègre à l'ordre humain aussi facilement qu'un chien ou qu'une poule. A preuve de sa docilité, et comme de son abdication, le platane ne forme pas de bandes comme les autres arbres, plus sauvages. Selmer et Arbogast n'avaient pas le moindre souvenir de forêt de platanes ; peut-être y en avait-il, mais la chose était à peine imaginable : le platane était un gros arbre neutre et soumis, un castrat branchu. Sans doute d'ailleurs était-il mal vu par les autres essences ; il devait faire figure de mouton, de collaborateur, de jaune. Indolent et familier, inverse du baobab — ou, sans chercher si loin, du simple cyprès —, il était plus que tout autre démuni de dimension tragique, sauf quand une automobile s'écrasait contre son tronc, seule occasion de drame pour le platane, mais qui accentuait plus encore son statut d'arbre humain à l'extrême, socialisé jusque dans l'accident.

Ils épuisèrent le platane, passèrent au peuplier, puis au chêne, approfondirent le tilleul, s'attardèrent au pin, s'attendrirent sur le saule et finirent leurs bières. La nuit était tombée. D'un pas inégal, ils rejoignirent le hors-bord. Au moment où Selmer actionnait le démarreur, retentit une détonation grave, lourde et lointaine, qui venait de la mer. Assourdis par le moteur, grisés de bière et d'arbres, ils ne l'entendirent pas. Ils rentrèrent au blockhaus à petite vitesse, en sinuant un peu sur l'océan obscur.

28

— Et ça, qu'est-ce que c'est ? demanda Vera.

A leur insu, ils venaient de quitter le champ de la
caméra d'Arbogast. Ils s'approchaient de la grosse borne
grise qui saillait au milieu de son massif luisant.

— Rien.

— Comment, rien ?

— C'est le méridien de Greenwich, dit Caine pour
la deuxième fois. Vous savez ce que c'est ?

— Oui.

Il marchait près d'elle, pas trop près. Il se sentait
coupable, gêné, déplacé. Il s'imaginait courant vers la
première falaise et s'en précipitant, l'en aimerait-elle pour
autant ? L'en aimerait-on pour autant ? Non. Non ? Il
se mit à parler, pour meubler.

— Ce méridien, c'est un scandale, dit-il, c'est un
constat d'échec. Que l'on soit obligé de diviser le monde
par cette ligne bricolée, c'est la preuve que l'on n'est
jamais arrivé à concilier le temps et l'espace, à les combiner ensemble. D'ailleurs, savez-vous pourquoi on a
décidé de faire passer la ligne du changement de date
par ici, où il ne vient jamais personne ?

Elle ne savait pas. Il n'était pas sûr qu'elle eût envie
de savoir. Qu'importait.

— C'est parce qu'on la cache, expliqua-t-il, on a honte. On a honte de ne pas pouvoir faire courir le temps sur une sphère autrement qu'en recourant à une sorte d'artifice intellectuel, un méridien abstrait et arbitraire, chargé de découper à la fois la terre et la durée, et qui n'a pas plus d'existence que l'horizon. Pourtant, sans cette ligne, le temps n'a pas de forme, pas de norme, pas de vitesse. Il devient innommable. On a honte de ne pas pouvoir faire mieux. Alors on dissimule l'artifice dans un recoin bien isolé du planisphère, en espérant qu'il passera inaperçu.

Et ainsi il déblatéra très longuement, Vera ne répondait pas, Caine ne savait pas si elle l'écoutait, mais il parlait quand même, de ce qui lui venait, ainsi de sa femme. Oui, il était marié, mais plus maintenant. Ils étaient séparés, maintenant. Elle s'appelait Kathleen, le mariage s'était passé très vite, il ne savait plus comment. Et puis il l'avait quittée parce qu'elle voulait qu'il l'appelât Kate. Non, c'est elle qui était partie parce que, justement, il ne voulait pas l'appeler Kate, ou alors c'est parce qu'il l'appelait comme ça, il ne se souvenait plus, mais il devait y avoir d'autres raisons.

— Oui, dit Vera.

Tout en parlant, il la guidait vers son lieu d'élection, l'éminence centrale d'où l'on surplombait l'île. Bien qu'elle fût attentive aux discours de l'inventeur, Vera éprouvait une gêne à recueillir son autobiographie, justement convaincue qu'on ne s'expose pas sans risques aux confidences, comme à certaines radiations. Ils atteignirent le sommet du monticule, prolongé par son faisceau d'araucarias. Vera suivait des yeux le contour clos de l'île.

— Vous avez vu, dit Caine, c'est pratiquement rond.

— Oui, dit Vera, c'est presque trop simple.

Il la regarda sans comprendre. La journée expirait. L'air autour d'eux était assez sombre déjà pour que l'on

194

puisse apercevoir l'éclat punctiforme de la lampe à pétrole
à la fenêtre du palais.

— Ce garçon, vous savez, dit-il un ton plus bas.

Elle ne répondit pas. Elle ne le regardait pas.

— Celui qui est mort.

— Eh bien ? fit-elle.

Elle s'était tournée. Elle le regardait. Finalement, il
aurait préféré qu'elle ne le regardât pas.

— Vous le connaissiez, je crois.

— Oui, dit Vera, je le connaissais.

Caine ne sut comment poursuivre. Il profita du déclin
de la lumière.

— Il va faire nuit, il faut rentrer.

Ils désescaladèrent les flancs du monticule et se mirent
en marche, prenant d'abord la petite lumière jaune pour
repère. A mi-chemin, Caine dévia brusquement leur
parcours.

— Un raccourci, dit-il.

La nuit était tout à fait noire quand ils parvinrent au
pied d'un monceau de gigantesques cailloux ronds, d'allure factice comme un décor d'opéra. Caine fit basculer
l'un des cailloux qui, bien que granitique, roula sur lui-
même comme du carton-pâte, découvrant un passage qui
s'ouvrait en pente douce vers l'intérieur du sol.

— Toutes ces îles sont pleines de galeries, commenta
l'inventeur. Quelquefois, elles se rejoignent.

Il s'était engagé dans le souterrain, allumant sur son
passage des bougies disposées tous les dix mètres, chacune
lui attribuant une ombre supplémentaire. Vera restait sur
le seul du boyau, hésitante. Il se retourna.

— Venez.

Comme elle s'apprêtait à le suivre, elle perçut une
sorte de grondement très lourd, éloigné et assourdi par
la distance, qui semblait venir de la mer. Caine était
déjà trop enfoncé dans le sous-sol pour pouvoir l'entendre. Vera faillit s'en inquiéter, puis elle attribua le bruit,

qui déjà s'estompait, à l'étrangeté commune et quotidienne des antipodes, le supposant un élément parmi
d'autres de cet environnement où tout pouvait être
étonnant, donc rien. Elle rejoignit l'inventeur, soufflant
l'une après l'autre les bougies qu'il allumait, et s'am-
putant ainsi chaque fois d'une ombre, et ils parcoururent
les entrailles de l'île, l'un derrière l'autre, conservant
autour d'eux une zone de lumière qui se déplaçait à leur
allure, forant l'obscurité et la laissant se refermer sur
leur passage, comme un gros ver luisant fait son trou.

29

— Vous entendez ?

Le bruit venait de la mer. Tristano se leva et marcha vers la fenêtre. Dehors, il n'y avait aucune autre lumière que celle, infime, des derniers rayons tangentiels à l'horizon et qui n'éclairaient plus rien.

Le bruit retomba, et ils attendirent qu'il se fût complètement transformé en silence, bien qu'il fût délicat de repérer le moment exact de la transformation. Ils étaient debout, face à la longue plaque de mica, Joseph tassé sur ses membres inférieurs larges et stables comme un socle, Tristano plus mobile, passant d'un pied sur l'autre et croisant et décroisant ses doigts.

— Peut-être une explosion sous-marine, proposa Joseph, une perturbation atmosphérique, ou alors un avion qui s'est écrasé.

— C'est autre chose. Aucune ligne aérienne ne survole la région, et les zones d'essais nucléaires sont beaucoup plus loin. Je vais appeler Paris. Où est Caine ?

— Je vais voir, dit Joseph.

Lorsqu'il remonta, Tristano était installé devant la console de l'émetteur-récepteur, triturant anxieusement les boutons et occasionnant maints bruits.

— Xerox, criait-il, Xerox.

— Il n'est pas à la cave, dit Joseph, et la fille non plus. Qu'est-ce qui se passe ?

— Je ne trouve plus la longueur d'onde, je ne comprends pas.

Il s'obstina encore un moment, puis s'arracha de l'appareil.

— Je suis trop énervé, essayez vous-même.

Joseph s'assit et se mit à son tour à manœuvrer l'engin. Le contact était un peu difficile à établir, mais on y parvenait toujours assez rapidement. Cette fois-ci pourtant, chaque fois que Joseph s'en approchait, apparaissait une musique bizarre, comme un air antillais exécuté par un orphéon slave.

— Qu'est-ce que c'est que cette merde, grogna Joseph, c'est pourtant la fréquence habituelle.

Ils attendirent. La musique décrut. Le souffle court, ils guettèrent la voix synthétique et convenue. La musique cessa. Une voix apparut, abominablement biologique.

— Bonjour, fit la voix avec un entrain insincère et injustifié. Bonjour à tous.

C'était une voix jeune, mal assurée, de speaker débutant ou remplaçant. On pouvait imaginer le phonateur, essoufflé et transpirant sur son micro, tripotant ses notes de ses mains moites, sous l'œil impavide d'un technicien figé derrière la vitre d'un studio.

— Ici Radio-Switzerland, bafouilla le stagiaire. Comme chaque jour, voici deux heures de musique et de bonne humeur, avec tout de suite notre disque de la semaine, voici Coco Schmidt qui chante *Pourquoi moi ?*

Une nuisance mélodique envahit l'espace un instant, Tristano coupa le son.

— Ils nous laissent tomber, dit-il, ils ont dû permuter leur longueur d'onde avec n'importe quelle station sur ondes courtes. Quelque chose se prépare, je ne sais pas quoi, mais ils nous laissent tomber, c'est sûr. Il va falloir nous débrouiller tout seuls. Et Arbogast ? Le traducteur ? Où sont-ils ?

— Ils ont dû entendre le bruit, se trompa Joseph, ils ne vont pas tarder. Mais il ne faut pas s'alarmer, la radio est peut-être détraquée, tout simplement. Et ce bruit, on ne sait pas ce que c'est.

Sans répondre, Tristano ouvrait une cantine de type militaire, métallique et peinte en vert, d'où il retira tout un arsenal de revolvers, d'automatiques et de pistolets-mitrailleurs : un vrai coffre à jouets. Il y avait aussi diverses boîtes contenant les munitions appropriées et, tout au fond, trois petites caisses en bois emplies de grenades soigneusement rangées dans du papier froissé, comme des fruits hors saison ou des œufs. Tristano vérifia les ustensiles et les disposa sur une petite table tenant lieu de desserte.

— On ne sait jamais s'il y en a trop ou pas assez, dit-il en inspectant la panoplie. C'est énervant.

Joseph faisait du café. Ils organisèrent un tour de garde, éteignirent les lampes. Tristano s'étendit sans dormir sur un lit de camp tiré au milieu de la pièce et Joseph s'installa près d'une fenêtre ouverte, une mitraillette sur les genoux, les pieds calés sur les caissons de grenades.

La nuit était maintenant tout à fait noire autour du palais. Au-delà de la plage, les poissons et les cétacés remontaient par couples ou par bancs entiers vers la surface pour regarder de plus près les étoiles, dont les phares ponctuels se miraient en tremblotant sur la peau du Pacifique.

Deux cygnes noirs couinaient dans le marais. Il s'écoula quatre heures.

Une barque s'échoua sur la plage, et le chuintement des vagues glissantes, étirant sur le sable de longues avancées effervescentes, couvrit le frottement des grains et des galets contre la coque. Russel sauta, courut, et

199

se laissa tomber à plat ventre sur le sable sec. Immobile et collé contre le sol, il écoutait, respirait, mobilisant tout son équipement sensoriel, déployant au plus loin ses pseudopodes perceptifs.

Russel aimait travailler la nuit. Sa presque cécité ayant hypertrophié ses autres sens, il se sentait capable de détecter, dans le noir le plus noir, une infinité d'informations inaccessibles à tout voyant, voyeur, viseur. Et ainsi, flairant, palpant, auscultant et goûtant l'univers, il déduisait de ces perceptions assemblées jusqu'aux détails des situations les plus complexes, invisibles dans l'obscurité à qui que ce soit, et même en plein jour à certains.

Pour préparer son débarquement, Russel avait étudié les voix des animaux locaux, les particularités tactiles de leurs plumes et de leurs poils, l'éventail des variations thermiques, les odeurs spécifiques de la flore et tout un ensemble de données du même ordre, fastidieuses à énumérer. Tous ces paramètres sensoriels interférant, s'alimentant et s'associant les uns aux autres, construisaient un système d'information très compliqué qui s'appuyait sur une série de classements inhabituels, de correspondances inédites, d'axiomes obscurs — système qui d'ailleurs, quelle que fût son efficacité réelle, n'avait rien à envier aux systèmes des gens dont les yeux fonctionnent bien, mais que leur vue normale aveugle inévitablement.

Après avoir identifié le cri du cygne noir, Russel se mit à ramper lentement, s'immobilisant tous les cinq mètres pour étudier à chaque fois les nouveaux éléments sonores et odoriférants. Comme il atteignait dans sa reptation un confortable massif herbeux, il faillit s'y blottir un moment mais, craignant que la forte odeur végétale masquât d'autres odeurs plus significatives, il retourna vers le sable dont le parfum neutre, discret, laissait un champ plus libre à son olfaction en éveil.

S'agenouillant, il tira de sa poche et déplia sur le sol une carte de l'île que Gutman avait fait réaliser à son intention. C'était une grande feuille de matière plastique blanche où se trouvait imprimée la reproduction de l'île, en reliefs légers. Y saillaient toutes variations de niveau, zones de végétation, accidents de terrain, embûches, marais, constructions, à l'échelle. Sous chaque relief était gravée une mention en braille abrégé qui en précisait la nature et la fonction éventuelle : point stratégique, lieu découvert, abri, et autres détails d'importance.

Il effleura doucement la carte des doigts de sa main droite, chacun se mouvant presque indépendamment des autres, comme investi d'une mission particulière. Repérant sa position, il y déposa l'auriculaire et, le pouce appliqué sur le palais, il fit courir l'index, le médius et l'annulaire sur l'espace en modèle réduit qui le séparait de l'édifice. Après avoir un moment tripoté le secteur, Russel replia sa carte et se releva lentement. Dilatant ses narines, écartant ses orteils et déployant ses pavillons, il se dirigea vers le palais, d'un pied insonore et sûr.

Il marchait, le bras gauche à peine déplié prévenant l'espace devant lui, la main droite à portée des grenades suspendues à sa ceinture qui se balançaient dans sa marche comme des testicules de singe énorme, pesants, sombres, et qui heurtaient parfois les siens propres. Il portait aussi à la taille de petits pains de plastic enfermés dans des étuis de cuir, fixés à la ceinture par des passants.

De lui non plus on ne pouvait savoir s'il avait trop d'armes ou pas assez, s'il inspirait la crainte ou suscitait l'esclaffement. Outre les explosifs dont il était enceint, il s'était équipé de quelques lames et, arrimée à sa cuisse, pesait une copie italienne de Colt Peacemaker. Gutman avait insisté pour qu'il prenne le revolver, mais Russel était sans illusions quant à ses aptitudes à l'arme de

201

poing. En revanche, il se savait habile au lancer de grenade, où l'œil, d'une certaine façon, compte moins.

Un talus devait se présenter sous peu, indiquant le palais à vingt mètres. Russel prévit, prévint, ralentit, heurta le talus, stoppa, sentit.

Aux alentours de l'édifice, le tableau olfactif se précisait. Saillait au premier plan un mélange de fumée de pétrole et de bois brûlé, de détritus délétères parmi quoi une incongrue puanteur de cassoulet laissé pour compte, alliée à la fine odeur de fer blanc oxydé de son contenant d'origine. Planaient encore d'autres émanations ménagères, familières : la senteur d'un compost, le parfum plus lointain d'une latrine. Le nez de l'aveugle fouillait dans ce décor d'odeurs, cherchant à déceler celles des habitants éventuels. Il renifla, renifla plus fort, enfin huma l'humain.

Il y avait de l'humain. Russel tenta d'analyser l'odeur, mais elle était légère, difficile à isoler dans le spectre olfactif, il la perdait sans cesse. Il s'approcha du palais à pas retenus et l'odeur se précisa, se dédoubla. L'une de ces odeurs d'hommes dominait l'autre ; d'une nuance plus forte, plus rustique, elle semblait provenir nettement d'un point précis de l'étage du palais, sans doute d'une fenêtre ouverte. Elle était plus vivace que l'autre, comme plus éveillée. Russel gagna souplement l'abri d'un bouquet d'arbres pour se dissimuler aux yeux d'un possible guetteur. Accroupi entre les troncs, il tentait de tirer du parfum rustique d'autres informations, mais quelque chose l'en empêcha, une autre odeur.

Celle-ci était imprévue. C'était une odeur à la fois fade et incisive, envahissante, qui déferlait brusquement sur lui, masquant toute autre perception. Elle défiait le nez du tueur, s'enflait et s'imposait, barrant la route à toute tentative d'analyse globale de la conjoncture olfactive. Ce parfum insidieux et écœurant ne couvrait pas vraiment les autres parfums mais les neutralisait,

202

les réduisait à rien, comme un bouton sur la figure, quand on ne voit plus dans les miroirs que ce bouton en lieu et place de figure. Russel demeura immobile. Il connaissait bien cette odeur, mais il s'acharna sur elle sans parvenir à la nommer. Elle était presque familière, rencontrée dès l'enfance, mais elle ne s'était plus présentée à lui depuis longtemps ; une odeur d'aliment, de nourriture. Des souvenirs opaques défilèrent dans sa mémoire monochrome, souvenirs de bruits et de cris, de cuisines, de froid, souvenirs d'escaliers, de réfectoires, d'hôtels traversés et infectés par cette sensation grise et pénétrante, tenace. Il fit un effort, s'agrippa violemment à l'odeur, sourit enfin lorsqu'il en découvrit la source. Le chou. Le chou-fleur. Il n'aurait pas imaginé l'existence d'un tel légume sous un tel climat.

Il perdait du temps. Il s'impatienta, s'orienta. L'odeur humaine rustique provenait assurément de la façade donnant sur la mer. Il se remémora les détails de la carte. Le palais était entouré d'une zone découverte au-delà de laquelle une ceinture d'arbres assurait une relative invisibilité. Les bras tendus, passant d'un tronc à l'autre, Russel contourna le palais pour aller en truffer de plastic le verso.

Se jugeant à l'abri des regards du rustique, il quitta les arbres et marcha vers le mur d'angle. L'herbe étouffait le bruit de ses pas. Comme il tendait la main vers la paroi, prêt à l'ausculter, il trébucha contre un fagot de bambous, perdit l'équilibre et s'effondra bruyamment parmi les tuteurs installés par Joseph pour la culture des tomates.

Russel se releva, rapide et irrité, maculé du jus des tomates pourries qu'il identifia tout de suite. Jamais il n'avait été question de tomates, pas plus que de choux-fleurs, jamais Gutman n'avait mentionné cette invasion potagère. Une colère l'envahit, et une peur. Il y eut du bruit au-dessus de lui. Il se mit à courir.

Joseph, de qui provenait la fragrance rurale, s'était lancé vers la fenêtre d'où ordinairement il surveillait la croissance de ses choux. Tristano se leva d'un bond et se rua à sa suite, brandissant une torche électrique qu'il braqua sur le carré de légumes d'où Russel détalait sans méthode. Joseph lâcha une longue rafale sur un plan horizontal, à hauteur de la tête, et le tueur aveugle fit un grand bond désarticulé, incohérent, comme s'il tentait de sauter dans plusieurs directions à la fois. Le premier projectile actionnant fortuitement son nerf optique, Russel éprouva un unique et ultime éblouissement avant de retomber, absolument mort, la boîte crânienne sciée en deux et tout son contenu s'éparpillant sur les choux-fleurs, dont les cœurs blanchâtres et circonvoluants semblaient autant de cerveaux végétaux attirant par affinité, similitude ou solidarité, les restes de leur homologue humain.

A tout cela succéda un silence. A peine Joseph avait-il expédié sa rafale qu'il s'était retiré derrière le mur, Tristano éteignant au même instant sa lampe et se dissimulant symétriquement. Ils attendirent un moment que se déclenchât un assaut plus massif, dont l'intrusion de Russel pouvait être l'immédiat préambule. Ils étaient debout, l'un en face de l'autre, de part et d'autre de la fenêtre, risquant parfois un regard de biais vers l'extérieur obscur. Ils attendaient, rien ne bougea.

Ils attendirent toute la nuit. Ils s'étaient assis maintenant, leurs mains posées sur leurs armes posées sur leurs genoux, dans le noir. Ils ne pouvaient pas dormir, ils attendaient. Et le jour se levait maintenant, très lentement, ils commençaient à pouvoir se distinguer mutuellement, la lumière s'enflait, précisait leurs traits, leurs visages très pâles, gris ou beige clair, leurs bouches emplies de goûts usés, acides, leurs yeux noyés de fatigue qui clignaient sans cesse à cause du soleil montant, il faisait jour maintenant, et ils attendaient toujours.

Ils inspectèrent longuement aux jumelles les alentours du palais avant de s'aventurer dehors. Ils descendirent l'échelle lourdement, en regardant dans tous les sens. Il n'y avait personne, le cadavre de Russel excepté.

— C'est lui ?

— Oui, dit Joseph, c'est bien lui. C'était un personnage invraisemblable. Si je m'écoutais, je regretterais de l'avoir tué.

— Ne vous écoutez pas, conseilla Tristano.

Ils descendirent vers la plage. De là, ils aperçurent, très loin vers le levant et à peine perceptibles sous le soleil qui émergeait de l'océan, ruisselant et aveuglant, une quinzaine de taches oblongues et noires, disséminées sur la ligne d'horizon, qui convergeaient nettement vers l'île.

— Les voilà, dit Tristano. Rentrons.

Ils regagnèrent le palais d'un pas plus lent que ne l'exigeait la situation, avec une sorte de résignation polie. Ils discutaient avec détachement de la répartition des armes et du meilleur système de défense. Ils semblaient indifférents et doux.

— Et Arbogast qui n'est encore pas là, disait Joseph.

Ils remontèrent à l'échelle et disposèrent les armes en petits lots près des fenêtres, en jetant de temps à autre un regard sur la mer. Les pirogues avançaient toujours, mais elles étaient encore trop loin pour réagir. Joseph prépara du café neuf.

Lorsque les assaillants parurent à portée de leurs armes, ils s'accoudèrent chacun à une fenêtre et se mirent à tirer paisiblement, méthodiquement, estimant longtemps leurs cibles avant et après le tir, comme dans une baraque foraine. En toute logique, les piroguiers ripostèrent, et le combat commença, et la façade du palais se mit à rétrécir insensiblement sous les impacts, comme sous l'effet d'une projection d'acide, ou d'une érosion affolée, emballée.

205

30

A deux cents mètres de la côte, debout sur le pont de son yacht, Kasper Gutman observait la scène au travers d'une longue-vue télescopique. Lorsque Joseph et Tristano avaient spontanément ouvert le feu, coulant d'emblée trois ou quatre pirogues, Gutman avait craint d'avoir sous-estimé la défense de l'île. Manœuvrant la molette du long tube effilé et grossisseur, il fit le point sur les fenêtres du palais, perceptibles au travers des bouquets d'arbres maigres qui le séparaient de la plage, et desquelles fusaient de rageuses rafales. Malgré les tirs groupés et nourris qui émanaient de l'édifice, un examen attentif le convainquit que celui-ci n'était pas protégé par plus de deux ou trois défenseurs, apparemment bien équipés. Si l'adversaire se résumait à cela, l'affaire serait assez tôt réglée. Mais la chose, dans ce cas, paraissait presque trop aisée ; on pouvait craindre quelque manœuvre ; pouvaient encore surgir d'agressifs adjuvants, et les tireurs du palais ne faisaient peut-être qu'attirer vers l'île les rameurs, pour mieux les exterminer d'un seul coup ; un recours subit à l'occulte projet Prestidge n'était pas non plus à exclure. D'un geste, Gutman engagea le pilote à ne pas s'approcher plus avant de la côte, et à parer à l'éventualité d'un départ prompt.

Puis il reprit sa lunette et la braqua sur ses propres troupes.

Les dégâts étaient mineurs du côté des assaillants. La plupart des occupants des pirogues perforées s'étaient hissés sur les intactes, d'autres nageaient lentement vers la plage et leurs têtes saillaient et balançaient à la surface, comme un essaim de ballons jetés sur l'océan. Les pirogues approchaient de l'île sous une pluie de plomb, d'acier et de laiton, filant de plus en plus vite et formant d'habiles zigzags nerveux pour entraver les visées des viseurs. Enfin elles abordèrent la côte, de front, dispersées sur une longue bande de plage, et leurs occupants coururent sur le sable, voûtés, rapides, les armes à la main, jusque sous le couvert des buissons où ils se répartirent en quatre groupes menés par Buck, Raph et les deux officiers.

La dispersion tactique des mercenaires empêchait Joseph et Tristano de concentrer leur tir. La soldatesque entreprit de se diluer dans la forêt qui ceignait le palais et finit par se coaguler autour de l'édifice en une large tache circulaire, silencieuse et patiente, menaçante d'immobilité et susceptible à chaque instant de s'étrécir, se condenser et imploser sur le palais.

Malgré l'habile déploiement des assaillants, huilés comme des danseurs, quelques faux mouvements dans la manœuvre permirent aux occupants du palais de ne pas gaspiller toutes leurs balles. Une fois ce siège muet constitué autour d'eux, Joseph avait quand même abattu six antagonistes, et Tristano quatre. Ils se congratulèrent, non sans déplorer que le processus d'éparpillement des mercenaires fît obstacle à un usage efficace de leurs grenades. Joseph profita néanmoins d'une brève confusion au sein du commando mené par Raph, un instant regroupé par erreur, pour décimer adroitement, par le jet d'un œuf détonateur, les deux tiers dudit commando, à commencer par Raph lui-même dont ne subsistèrent d'intactes que les lunettes, expulsées par l'explosion dans les hautes branches d'un eucalyptus, et qu'un phalanger volant, ravi de l'aubaine, happa au passage avant de s'enfuir vers le nord où sa famille l'attendait, sautant et planant d'arbre en arbre, loin du bruit, loin du plomb, du bronze, loin de l'antimoine et de l'acier.

Gutman se tranquillisa. Il doutait un peu moins de l'issue du combat. Le palais assiégé ne tiendrait pas longtemps. Restait la vague appréhension liée au projet Prestidge, accessoire éternellement indéterminé, sur la fonction duquel circulaient les opinions les plus diverses, ce qui laissait présumer soit de la fausseté des opinions, soit de la polyvalence de l'accessoire. Avaient ainsi couru des rumeurs concernant une énergie de synthèse, un moteur autarcique, on avait parlé de domestication bactérienne, de réduction de la masse, de fission de l'atome, d'idiome informatique, de documents volés aux uns, de microfilms confiés aux autres, de recyclage des déchets, d'arme absolue. Foutaises, pensa Gutman. Il haussa les épaules, qu'il avait très éloignées l'une de l'autre, et enferma à nouveau le palais dans l'espace rond de la longue-vue.

Le combat s'enlisait. Les assaillants tentaient de fatiguer les tireurs de l'étage par des séries de petits assauts dispersés à peine formés, répétés, rapides, fusant de plusieurs points de la forêt en même temps et contraignant Joseph et Tristano à tirer en parant au plus pressé, sacrifiant beaucoup de munitions sans toucher grand monde. Les mercenaires se déplaçaient sans cesse maintenant tout autour du palais, par mouvements brusques et légers comme des mouches, imprévisibles et orchestrés de telle sorte que, face à une foule de menaces furtives, contraints à une attention sans fissure, Joseph ni Tristano ne parvenaient à riposter précisément vers l'un ou l'autre de ces dangers mobiles. Embusqués derrière leurs fenêtres, ils recommencèrent à attendre. Alors, sans accord préalable, il y eut une sorte de trêve. Côté mercenaires, on se mit à attendre aussi. Cela dura.

Cela dura même jusqu'à ce que réapparussent gazouillis volatiles et reniflements rongeurs, les animaux s'étant d'abord discrètement retirés, dès le début du combat, laissant les habillés régler leurs comptes entre eux.

Sur le pont du yacht, Gutman perçut le silence et se mit lui aussi à attendre. Il faisait chaud, la mer faisait un peu de bruit autour de lui, un petit bruit retenu. Gutman se rassurait en transpirant. Plus rien ne pourrait maintenant se produire : le palais était d'avance pris, l'île lui revenait, le projet Prestidge n'était qu'un leurre, ou un échec. Il s'étonna des précautions que l'affaire lui avait fait prendre. L'envoi sur l'île d'Armstrong Jones, l'explosion sous-marine et nocturne qu'il avait expédiée comme un coup de semonce, l'intrusion de Russel enfin, aucun de ces défis n'avait déclenché de réponse à l'échelle de ce halo de mystère et de considération dont le projet Prestidge était nimbé. Certes, l'aveugle et l'albinos étaient morts, l'un tout de suite et l'autre peu après, mais c'était d'une certaine façon la moindre des choses. L'important était qu'on leur ait normalement tiré dessus, sans spectacle, sans démesure, sans plus. Les occupants de l'île s'étaient bornés à des homicides bricolés, solution de faibles, recours de démunis. C'était donc qu'ils n'avaient rien. Voilà, ils n'avaient rien. Et peut-être n'en savaient-ils pas plus que lui, peut-être ne savaient-ils rien de ce rien qu'ils étaient censés défendre, là-bas, avec leur peur, leur sueur, leur crasse, leurs armes et sur leurs doigts la graisse de leurs armes, derrière leurs fenêtres.

Un mouvement brusque au-dessous des susdites traversa successivement l'objectif et l'oculaire de la lunette, puis l'iris et le cristallin de Gutman. Il écarquilla.

Buck s'était impatienté. Pour éprouver les réactions

des assiégés, ou pour accélérer les choses, ou simplement pour voir, il avait expédié vers le rez-de-chaussée un commando de kamikazes que Joseph et Tristano criblèrent instantanément. Les kamikazes en état de marche se réfugièrent précipitamment sous les arbres en protestant, laissant derrière eux trois nouveaux défunts. Il y eut un nouveau silence. Tout le monde commençait à en avoir assez.

Après s'être consultés, Buck et les officiers décidèrent de hâter le dénouement. La chose traînait en longueur et, toute malaisée qu'elle fût, la situation leur paraissait trop simple. Buck savait qu'il y avait sur l'île plus de deux personnes. De crainte d'être pris à revers par d'éventuels renforts, il lui fallait avant tout investir le palais.

On décida l'assaut. On attaquerait tous en même temps, massivement, sous les angles les plus morts par rapport aux fenêtres. Ce qu'on fit. Il s'écoula une cinquantaine de secondes avant que le palais fût envahi. Tristano mourut à la trentième, Joseph à la quarante-sixième.

Quand l'assaut fut donné, ils flairèrent l'ultime. Pourtant, sans penser un instant au futur immédiat, ils empoignèrent leurs outils, et, ouvertement postés dans l'embrasure des fenêtres, ils entreprirent de crever le monde, de lacérer l'univers. Un moment, l'air fut vrillé de coupures en tous sens, symétriques, parallèles, déchirantes. Comme Tristano se baissait pour changer de chargeur, avec l'idée fugace qu'il avait tout son temps, un projectile plus inspiré que les autres entra dans son corps par la tempe gauche, traversa le cervelet, sectionna l'artère aorte et vint se garer dans la partie droite du thorax. Tristano chut.

Lorsque Joseph le vit tomber, il se rua sur lui dans le vacarme, constata le décès, le releva et lui arracha son arme. Il s'encadra dans la fenêtre, étreignant le corps de Tristano entre ses avant-bras ruraux, tout contre lui comme un bouclier ou un emblème, maintenu de part et d'autre par les canons des armes que Joseph actionnait des deux mains, laissant déferler devant lui ses rafales comme des bâtons enflammés que l'on agite la nuit pour tracer des graphes rouges dans l'air noir, fauchant toutes formes sur son passage. Il y eut encore beaucoup de gens tués. Finalement, il y eut aussi quelqu'un pour ajuster une balle de calibre 38 et de modèle Special Metal Piercing, composée d'un noyau de tungstène et d'une chemise de téflon, qui fora dans les poitrines accolées de Joseph et de Tristano un vaste trou, du diamètre d'un disque 45 tours. Quatre ou cinq secondes plus tard, l'un des officiers fit irruption dans la salle du palais, balayant préventivement l'espace d'une ultime et superfétatoire rafale. L'émetteur-récepteur explosa.

La longue-vue de Gutman n'était pas assez puissante pour lui permettre d'observer la scène aussi précisément. Il ne fit signe au pilote de rejoindre l'île qu'après avoir aperçu le buste victorieux de l'officier, encadré dans la fenêtre du palais comme un portrait officiel. Buck attendait sur la plage.

— Il n'y avait que ces deux-là, dit-il en aidant Gutman à débarquer sa corpulence, j'ai envoyé des gens fouiller les environs pour chercher Caine et les autres, s'il y en a.

— Ils ont peut-être pu s'enfuir. Vous avez trouvé vos papiers ?

— J'ai regardé dans la pièce du haut, il n'y a rien d'intéressant.

— Il y a aussi les caves, fit Gutman en levant un doigt.

— Je vous attendais pour ça. J'ai fait obstruer la porte en attendant, au cas où il y aurait quelqu'un dedans.

— Bonne idée, dit Gutman, mais nous avons le temps.

Il soufflait en marchant. Des cadavres de mercenaires gisaient en désordre sur le sol, figés dans des postures variées. Gutman et Buck les contournaient.

Pendant que les valides s'éparpillaient dans l'île en

quête de nouvelles cibles, les subsistants détériorés s'étaient groupés au rez-de-chaussée, appliquant gaze et sparadrap sur leurs blessures et causant, assemblés autour du petit palmier dont le tronc et les feuilles, déjà noirs de cambouis, s'ornaient maintenant d'impacts et de déchirures, tous ces attributs lui conférant une allure de déchet urbain, vaguement industriel, effaçant presque son être végétal.

Gutman refusa de grimper à l'échelle. Buck mobilisa les moins invalides pour bâcler un palan à l'aide de poulies et de cordes, en vue de hisser l'obèse. A l'étage, Gutman se pencha pour examiner les corps.

— Vous les connaissiez ?

— Mal, répondit Buck. J'ai travaillé avec eux, une fois, il y cinq ou six ans.

— Aujourd'hui aussi, vous avez travaillé avec eux, grimaça Gutman.

— Si on veut, dit Buck.

Gutman se tourna.

— Il faut mettre un peu d'ordre.

Buck traîna Joseph et Tristano jusqu'à la porte et les jeta hors de la pièce, et ils se firent en tombant des fractures multiples, mais posthumes. Gutman passait mollement les meubles en revue, soulevait des tissus, des papiers, tâtait les fauteuils crevés. L'un d'eux lui parut plus solide, il s'y laissa tomber. Le fauteuil broncha à peine sous l'avalanche anatomique. Gutman remua un peu à l'intérieur, comme pour le modeler. Il ferma ses paupières à moitié.

— Et maintenant ? fit Buck.

— Rien ne presse, dit l'homme gros. On est si bien chez soi.

Six mètres sous lui, Byron Caine prétendait le contraire.

212

31

— Alors c'était vous, le puzzle, avait dit l'inventeur en s'éveillant.

Ils avaient dormi par terre, au pied de la machine, chacun enveloppé dans une couverture, séparés l'un de l'autre par cinquante centimètres de sol, espace frontalier aménagé entre eux comme une épée ou un agneau garants de chasteté médiévale. La veille au soir, en se couchant, Vera et Caine n'avaient pas manqué de s'interroger intérieurement, chacun de son côté, sur ce que pouvait penser l'autre quant à l'occurrence d'un éventuel commerce sexuel. Tout absorbés à se représenter la chose si elle venait à se produire, ils en avaient négligé la mise en œuvre, chacun laissant à l'autre la responsabilité de l'initiative, et rien ne s'était échafaudé, sinon des spéculations vaines. Murés dans leurs propres corps, ils s'étaient bornés à se désirer vaguement avant de s'endormir, chacun de son côté et de son mieux, s'anéantissant dans un sommeil épais que n'avait pas troublé le bruit consécutif à l'irruption nocturne de Russel. Ils s'étaient éveillés assez tôt, juste avant le débarquement des mercenaires.

— J'ai fait un rêve, dit-il ensuite. Difficile à décrire.

Il chercha à tâtons des allumettes, alluma une bougie,

regarda Vera. Elle était couchée sur le côté, vers lui, ses yeux étaient grands ouverts. Caine se redressa, les bras pliés sous lui soutenant son buste incliné, les coudes tirés en arrière, puis il se rallongea et se mit à remuer sous sa couverture. Il n'avait pas envie de se lever.

— Alors, ce rêve ? demanda Vera.

Alors, au-dessus d'eux, le combat débuta, et bruyamment se mirent à clapper les armes automatiques, répétées, obstinées, et reprises en écho par d'autres armes plus lointaines, et plus nombreuses semblait-il. Caine se leva brusquement, avec une vivacité inattendue chez cet homme tout en détails, en symptômes et en simagrées.

— Aidez-moi, vite.

Et pendant qu'au-dehors fleurissaient les décibels, de plus en plus nourris et acharnés, ils avaient amassé contre la porte accédant à l'escalier du rez-de-chaussée tout ce que les caves pouvaient compter de lourd et de compact, c'est-à-dire pas grand-chose : quelques poutres, des briques, et les caisses contenant les affaires de Caine. Sous le regard étonné de Vera, l'inventeur débrancha hâtivement les fils qui reliaient sa machine au petit cube noir posé par terre, et fit basculer comme un tronc aux trois quarts scié le haut et pesant cylindre arboriforme, dont les bras hétéroclites se tordirent et se brisèrent dans la chute. Caine dispersa à coups de pied les pseudopodes encore intacts qui saillaient des flancs de l'appareil et, avec des efforts, ils roulèrent la masse de fonte jusqu'à la porte, achevant de la bloquer.

La barricade ainsi édifiée étouffait un peu le contrepoint bruyant, cumulatif, des détonations qui s'enchaînaient irréversiblement au-dessus d'eux, se nourrissant les unes des autres comme un crescendo sans fin, mais dont on savait bien qu'il finirait un moment ou l'autre. L'accumulation des objets entassés contre la porte avait réglé au minimum le volume sonore du combat, comme une musique de fond. Vera et Caine retournèrent s'étendre, plus près l'un de l'autre mais toujours aussi loin ; la brutalité des circonstances les rapprochait subitement, sans pour autant les convaincre de s'étreindre. Caine alla chercher des cigarettes dans son réduit et revint s'allonger près d'elle.

— Qu'ils s'arrangent entre eux, dit-il, vous voulez une cigarette ? Il n'y a aucune raison de nous mêler de leurs histoires. Quand ils se seront entretués, nous pourrons essayer de sortir, quitte à nous arranger avec les vainqueurs, s'il reste des vainqueurs. Ce sont des Chesterfield, vous n'aimez peut-être pas ?

Il était loquace, vif. La situation semblait le stimuler. Il proposa à Vera de lui raconter sa vie, en attendant.

— Mais, hier déjà, objecta-t-elle.

— Je n'ai pas tout dit.

Et il fit l'autobiographe. Défilèrent chronologiquement les quais du Patapsco, la maison de son oncle dans la banlieue de Baltimore et la ferme de son autre oncle à cinq cents kilomètres au sud, entre Florence et Hamlet, le profil d'une certaine Shirley, assidument fréquentée entre treize et seize ans, et la banquette arrière en cuir blanc d'une des cinq voitures du père de Shirley, lequel se trouvait d'ailleurs être l'associé d'un troisième oncle à la tête d'une usine de colle. Byron Caine semblait n'avoir eu que des oncles.

Puis ce fut un couloir de l'université, où un nommé Remington Remington l'avait présenté à Kathleen, son mariage rapide, mais il en avait déjà parlé, suivi d'un épisode opaque et agité, fait de cris et d'insomnies, de scènes et de bris d'objets, duquel il ne conservait aucune image sinon celle, précise, des valises de Kathleen empilées à la hâte dans le coffre d'un taxi. Suivirent des souvenirs morbides de rasoirs, d'alcool et d'électricité, et d'un second épisode également très flou mais plus confus et compliqué que l'autre, plus agité aussi, que sanctionna l'échouage de l'inventeur, sept mois durant, dans la chambre d'une clinique bizarrement située dans une zone à la fois rurale et pétrolifère, infestée d'épouvantails et de derricks, quelque part entre Oil City et Altoona, sept longs mois noyés d'ennui, d'odeur de pétrole et de neuroleptiques, deux cents jours d'idées gisantes ensevelies dans la chimie, ponctués par les visites bimensuelles de Kathleen, qui jamais n'avait pu se résoudre à le quitter vraiment, sur un banc, dans le parc de la clinique baignant dans la puanteur du naphte, en pyjama, sept mois.

Au-dessus d'eux, cela tirait toujours. Caine en était maintenant à Baton-Rouge, où il avait trouvé un vague poste d'assistant dans un laboratoire de sous-traitance. Alors, comme il se remettait du néant d'Oil City, s'étaient mises à surgir des idées, des idées qui s'installaient dans son esprit très lentement, se perfectionnaient très lentement, l'une attirant l'autre, comme des poissons effarouchés, furtifs, prudents. Il s'était montré assidu à son travail, à quoi d'autre l'être, et s'était mis à inventer avec bonheur, et s'était fait engager dans une filiale de Haas où on le remarqua, le loua, l'acheta, et l'envoya faire ses inventions de laboratoire en laboratoire, dans les sphères de plus en plus hautes de l'inventivité. A son nom, et tout autour de lui, les brevets s'amoncelaient. Baton-Rouge, Memphis, Phœnix, Seattle et New York furent les premiers degrés d'un escalier dont le faîte inventif se trouvait au siège de la maison-mère, à Paris, sur le boulevard Haussmann. Là il fut, là il inventa encore. Toutes sortes de choses, et pendant des années.

Et ce fut alors une vie d'étranger à l'étranger, faite de jours de travail et de nuits solitaires, que traversaient parfois des amours extérieures, rapides, une Véronique, une Carla, une Dorothée, une Paule. Ce furent les réunions chez Georges Haas, chaque troisième jeudi du mois, dans le grand bureau grège aux murs tachés de bleu. Ce fut, enfin, la rencontre avec Rachel Haas, la première fois dans ce même bureau, paternel pour elle et patronal pour lui, puis dans son propre bureau, puis chez lui, puis chez elle, puis dans l'espace amoureux où ne se distinguaient plus ni le tien du mien, ni le sien du reste. Et puis ce fut aussi la rencontre avec Lafont, un dimanche matin, au musée de la Marine.

A l'étage, la mitraille atteignait son paroxysme, outrance de la pétarade, stade percussif indépassable auquel ne pouvait succéder que le silence. Ce qui fut. D'un coup, tout s'arrêta. Il se fit un silence authentique. Mais Byron Caine parlait toujours.

Ses inventions et Rachel exceptées, Byron Caine existait à vrai dire sans attache sensible, sans ancrage particulier. Ne s'attardant ni aux objets ni aux décors, il traversait l'espace avec une inattention sincère. Jamais il n'avait pu acquérir la notion de domiciliation, se mouler à l'impératif civique du lieu privé, intime, adhésif. Du Patapsco natal au Pacifique actuel, il n'avait jamais cessé de neutraliser obstinément ses logements successifs, dans une lutte à mort contre la personnalisation — à l'exception de la clinique d'Oil City où cet effort lui avait été épargné, espace immuable pour sujets interchangeables, espace neutre par avance et par principe, et peut-être, abominablement, inavouablement, espace idéal.

— De toute façon, on est toujours mal chez soi, dit-il, contredisant à cet instant le gros du haut. Dès qu'on est quelque part chez soi, on y devient mal. Moi, en tout cas.

Ainsi, à Paris, son bureau du boulevard Haussmann et son appartement de la rue Pétrarque, pôles rigoureux d'une quotidienneté binaire, lui étaient également familiers et étrangers, intimes autant qu'extimes, semblables en cela, par exemple, à une cabine d'ascenseur, à la salle d'attente d'un dentiste, ou à la terrasse d'un tabac du quai Voltaire où il lui arrivait de retrouver Lafont.

Le géant lui avait fait rencontrer ses amis, Carrier,

217

Tristano, d'autres. On causait. Carrier, notamment, qui avait fait bien des études, discutait volontiers avec Caine, s'intéressait à ses travaux en amateur ; c'était plaisant. Mais c'était justement l'époque où l'inventeur n'inventait plus rien.

Il piétinait, échouait, manquait d'idées. Cela durait depuis quelque temps déjà ; c'était peut-être à cause de Rachel. Pour justifier son improductivité, camoufler sa stérilité, il avait eu l'idée de reprendre un vieux projet inabouti et laissé pour compte, et de le présenter à Georges Haas comme une recherche en cours.

C'était un troisième jeudi de mars, il pleuvait. A la surprise de Caine, Haas avait accordé à l'exposé du projet, baptisé Prestidge on ne savait pourquoi, une attention et des crédits inhabituels, que l'inventeur jugea disproportionnés, mais qu'importait l'argent des autres, et leur attention, donc.

Les choses s'étaient précisées le surlendemain, à Nanterre. Sans détours oratoires ni scrupules de forme, sans violence, Carrier lui proposa abruptement, c'était inattendu, de lui acheter le projet Prestidge, directement, sans passer par Haas. Caine fut à peine surpris, tant il était loin du réel, ou proche, comme on veut. Son esprit voué au détail ne pouvait s'étonner que du détail, quel qu'il fût ; à l'énormité de cette proposition, démunie de détails à l'extrême, il ne put répondre que par un masque d'intérêt souriant, modelé de politesse contraignante. Carrier poursuivit : il lui offrait également de poursuivre ses recherches à l'étranger, hors d'atteinte de Haas au cas où celui-ci éprouverait quelque courroux. L'offre était précise, hautement chiffrée. L'inventeur accepta, presque sans réfléchir. Eût-il réfléchi, d'ailleurs, que mêmement il aurait accepté, moins séduit par la monnaie que par l'ondoyante perspective de modifier son horizon et d'emplir ses bronches d'un air inédit. La proposition constituait l'antidote idéal à cette sorte de

218

saturation fade, cet écœurement sucré ou plutôt saccharin que provoquait inévitablement en lui, où que ce fût, tout séjour un peu prolongé.

Il ne fut pas trop compliqué de convaincre Carrier qu'il ne saurait partir sans Rachel. Moins compliqué encore il fut de convaincre Rachel, attachée à son père autant que Caine à un motif de papier peint. Il fut aisé, enfin, de prétexter un voyage d'études ou un vague congrès pour quitter Paris en toute orthodoxie, ménageant ainsi l'espace et le temps nécessaires entre Haas et eux-mêmes pour que le père et patron ne découvrît la manœuvre que trop tard, et que sa rancœur probable s'épanchât dans le vide en pure perte, concrétisée sans doute par d'absurdes violences et d'abusifs licenciements. Tout cela, ce fut comme un jeu.

Quelque temps avant leur départ, Carrier avait prié Caine de lui procurer une copie factice du projet Prestidge, suffisamment proche de l'original pour que seul un expert, en y mettant du temps, pût détecter le truquage. Il suffirait ensuite, expliqua-t-il, d'orienter discrètement Haas sur la piste de ce leurre pour qu'il se lance à sa poursuite, et ce serait encore un peu de temps gagné pour eux, par lui perdu. L'inventeur, toujours séduit par le jeu du double jeu, et justement convaincu qu'il n'avait pas plus de raisons d'obéir à Carrier qu'à Haas, profita de ce qu'il possédait, par sécurité et sans que personne en eût jamais rien su, deux exemplaires authentiques du projet Prestidge pour confier l'un d'eux à Carrier, se flattant en lui-même de la rareté d'un procédé consistant à faire passer du vrai pour du faux, alors qu'on fait généralement l'inverse. Par surcroît, en remettant ce faux objet faux à Carrier, il sut qu'il introduisait dans un système dont la logique générale lui échappait un paramètre inconnu des auteurs de ce système, une variable clandestine, incontrôlable, dont personne ne pouvait prévoir les conséquences mais qui, de ce fait même, pouvait modifier par loi de structure le système tout entier, et dépossédait par conséquent de leur paternité les créateurs du système. D'une certaine façon, Caine en devenait l'auteur ; auteur aveugle, mais auteur.

Cela aussi fut comme un jeu, et comme un jeu encore Byron et Rachel s'envolèrent peu après vers l'Australie, d'où, par des voies détournées et toujours plus ludiques, ils rejoignirent l'île où Tristano, Arbogast et Joseph les attendaient.

Mais voilà, à peine arrivés sur l'île, la situation avait séché sur pied comme un plant inarrosé. Au double, triple jeu, succéda l'absence de jeu ; à l'effervescence, la répétition ; au rotor, le stator. Ils s'étaient retrouvés enclos, enfermés sur cette île ronde, Caine contraint de travailler par le verso d'un pacte qu'il n'avait conclu qu'aveuglé par la scintillance du seul recto, Rachel réduite à l'ennui et tournant sans cesse autour de l'île comme sur l'arête de ce pacte, et jetant des cailloux dans la mer.

Les jours et les nuits s'étaient assemblés en semaines, qui se groupèrent en mois. Rachel et l'inventeur se regardaient, tâchaient de se parler, mais d'abord ils ne trouvaient rien à dire, et ensuite ils ne cherchèrent plus. Ou alors ils inventoriaient toutes les formes possibles d'évasion, mais de cette île infime, au nombril de l'océan, seuls pouvaient s'échapper des personnages de dessins animés. Ils devinrent malheureux, hostiles, on dut s'en inquiéter. Un soir, Tristano annonça que Rachel partirait le lendemain, pour quelque temps ; on avait besoin d'elle ailleurs, ce ne serait pas long. Il dévida tout un écheveau d'explications et d'arguments d'où il était impossible de démêler le vrai du faux, en supposant ces catégories susceptibles à elles seules de partager strictement son discours en deux, sans qu'il subsiste un reste.

Le lendemain, Caine l'avait accompagnée jusqu'au bateau. C'était un bateau ancien, très beau, très grand, actionné par plus de quatorze voiles. Rachel s'en était allée.

Et l'inventeur, alors, s'était senti bien seul, et floué, et amer, et du jus d'aloès lui ruisselait dans le raisonnement, et une lampe jaune, déniaisante, inondait brutalement l'espace en lumière rasante, accentuant les profils des faux amis, des amours fausses, les reliefs des faux sens et des faux mouvements. Il résolut de se venger, et que sa vengeance fût dans le ton : il fit un faux.

Faute de pouvoir contrôler son travail, faute d'y comprendre autre que goutte, les autres lui faisaient confiance. De cette confiance, qui l'indignait maintenant plus encore que tout le reste, semblable qu'elle lui semblait à celle qu'on accorde à une bête domestique ou à un valet demeuré, Caine avait tout loisir d'abuser. Il sabota. Impassible au possible, masquant sa rancune derrière un faciès figé, il entreprit clandestinement de substituer au dossier du projet Prestidge un dossier factice, véritable cette fois, d'allure plus ésotérique encore que le modèle.

Il brûla l'une après l'autre les pages de son ouvrage original, que vinrent progressivement remplacer les éléments d'une invention imaginaire. Ici pas plus qu'ailleurs personne n'aurait pu distinguer l'ersatz de l'authentique. Caine avait d'ailleurs fini par ne plus s'intéresser qu'à la confection minutieuse de ce leurre, pure apparence, contenant vide et formel, efficace comme peut l'être un accessoire de théâtre, qui — digression — prodigue toujours un peu plus des particularités réelles de l'objet qu'il simule, et en restitue ainsi tous les traits bien mieux que ne le ferait au même endroit l'objet lui-même, délivré dans sa vérité molle. Comme un moine enlumineur, l'inventeur éprouvait une inconnue jubilation à combiner les axiomes viciés, les propositions vaines et les lemmes véreux, à calligraphier des cohortes de formules tordues et à dresser de foisonnants schémas, dont jamais nul ne saurait que l'allure et la complexité n'étaient fonction que du nombre et de l'état d'usure des crayons de couleurs qu'il avait sous la main.

Quant à la machine appariée, censée représenter la pratique de sa théorie, supposée témoigner de l'essor de ses spéculations, elle témoignait en effet : c'était n'importe quoi. Caine avait fabriqué une sorte de collage, un conglomérat de matériaux de récupération qu'il assemblait entre eux selon le principe arbitraire mais rigoureux du tirage au sort. Ce n'était qu'une sorte de trompe-l'œil technologique, avec juste assez de moteurs et de mystères, que Joseph et Tristano considéraient avec leur mélange rural de méfiance et de respect, jusqu'au moment où Caine, par précaution, préféra leur en interdire l'accès.

— Elle aura quand même fini par servir à quelque chose, conclut-il en désignant le pesant cylindre ébranché qui barrait la porte.

— Et ça ? demanda Vera en désignant le petit cube déconnecté qui ronronnait toujours paisiblement.

— C'est le seul objet sincère, dit l'inventeur. C'est le seul qui soit vrai, mais ce n'est pas grand-chose. C'est un accumulateur, une sorte de pile. Selon la façon dont on l'utilise, ça peut monter à une température très élevée. C'est un peu compliqué à expliquer, d'ailleurs le pourrais-je ?

Caine n'avait jamais compris l'intérêt que tous, depuis Haas jusqu'à Joseph, semblaient accorder à cet objet sans portée. Certes, une vague pile un peu perfectionnée pouvait avoir plusieurs usages, mais bien plus limités qu'ils ne semblaient le croire, et très disproportionnés à la passion qu'ils lui accordaient. Il ne les avait pas détrompés, amusé de les voir s'égarer et se mobiliser pour peu.

Ici, Byron Caine cessa de parler. Il se leva, marcha vers la porte de l'escalier, l'agita, revint.

— Nous pourrions essayer de sortir, dit-il, maintenant

que c'est calme, mais la porte est aussi bloquée de l'extérieur. Passons par le souterrain.

Ils s'engagèrent dans le long boyau qu'ils avaient emprunté la veille et qui débouchait à près d'un kilomètre du palais. Parvenant à l'air libre, l'inventeur inspecta l'alentour.

— Allez-y, passez la première, il n'y a personne.

Vera avança sous le soleil, éblouie par la lumière blanche qu'amplifiaient les cailloux blancs. Il y eut un grondement derrière elle, elle se retourna : les galets énormes s'effondraient pesamment, roulant sur eux-mêmes avec de lourds rebonds. Elle courut vers l'entrée du boyau, chercha Caine autour d'elle, en vain. Aussitôt qu'elle fut sortie, il avait déclenché l'obstruction du seuil, se réfugiant rapidement sous terre après qu'entre Vera et lui se furent amoncelés les minéraux, bouchant irréversiblement le passage. Vera entendit des bruits de pas non loin d'elle, eut peur, se réfugia dans un buisson, attendit.

Byron Caine regagna la cave, d'un pas inhabituellement résolu, et s'enfonça dans une zone indistincte et obscure de l'immense sous-sol, bornée d'un mur masqué par une bâche brune. Derrière cette bâche s'empilaient jusqu'au plafond des caisses de bois blanc et de bois sombre, de métal léger, d'ébonite et de carton fort, chaque caisse s'ornant d'une étiquette porteuse d'une mention succincte.

Par un principe inverse à celui du dictionnaire, qui s'efforce d'aligner tous les vocables d'un même idiome, ce mur d'étiquettes offrait un mot unique, *explosifs,* répété interminablement, à la fois identique et différent, dans presque toutes les langues possibles. Là se trouvait le matériel déflagrateur longtemps cherché par Arbogast, et dont Caine, après l'avoir découvert incidemment dans un recoin discret du sous-sol, n'avait soufflé mot à personne.

C'était du matériel ancien, datant de la dernière guerre. S'y côtoyaient toutes sortes de dérivés de nitroglycérine et de nitrobenzine, de trinitrophénol, de penthrite et d'hexogène combinés, ainsi que foule de détonateurs, paquets de cordite et rouleaux du traditionnel cordeau bickford. L'inventeur ouvrit une caisse et en retira un pain de plastic enveloppé dans du papier translucide. Il manipula un moment le petit bloc, y grava machinalement son prénom avec l'arête de son ongle et le remit doucement à sa place. Puis il fixa un détonateur sur la caisse et l'adapta à un cordon qu'il déroula sur une vingtaine de mètres, avant de retourner à son réduit pour y prendre une Chesterfield et une vieille pochette d'allumettes.

Il revint, s'accroupit et adapta l'extrémité du cordon entre les allumettes, formant une sorte de tissage où le bickford constituait le fil de trame, entrelacé dans la chaîne des plats bâtonnets combustibles. Il travaillait lentement et soigneusement, avec un certain plaisir, comme s'il bricolait une lampe ou n'importe quel autre de ces objets faciles à réparer. Ceci fait, il alluma sa cigarette, inhala deux ou trois fois, et la coinça dans la pochette, entre les allumettes et le carton. Abandonnant ce dispositif à lui-même, il ramassa sa couverture, la jeta sur son épaule et retourna vers la muraille d'explosifs. Là, il éteignit sa lampe et se mit à escalader à tâtons les caisses empilées.

Au sommet de l'entassement, Byron Caine déroula la couverture et s'y étendit. Le sous-sol était plongé dans une nuit parfaite, et Caine passa un moment à ouvrir et fermer les yeux alternativement, comparant les deux qualités de noir qu'il obtenait ainsi, avec ou sans paupières interposées. Puis il aperçut, très loin, la cigarette qui se consumait. Il suivit l'incandescence minuscule, à peine lumineuse, insensiblement mouvante, seule preuve de l'écoulement du temps dans cette obscurité sans appel qui abolissait la durée avec l'espace. Il assista

224

à l'embrasement des allumettes au contact du mégot, puis au passage de la flamme quand elle se transporta sur le cordon ; l'intensité et la rapidité de l'ignition se modifièrent ; le bickford brûlait plus vite que la Chesterfield.

Le point lumineux se rapprochait de lui, son trajet épousant les sinuosités du fil fusant. Caine aurait encore pu sauter, courir, éteindre ; il préféra considérer ce point, et ce point était toujours très loin, toujours plus loin qu'il ne s'y attendait. Caine finit par s'impatienter.

Alors il se tourna vers le mur avec rudesse, dans un mouvement offensé et méprisant de répudiation du monde, comme un dormeur éveillé sous un prétexte futile et qui s'insurge, et revendique violemment son sommeil. L'inventeur ferma ses yeux, contracta ses poings et ses paupières, se recroquevilla sous sa couverture et tenta de dormir, et, contre toute attente, contre toute expérience et toute vraisemblance, il s'endormit.

32

— Les caves, rappela Buck.

— Rien ne presse.

Buck se détourna et s'approcha de la porte dans l'embrasure de laquelle saillaient les derniers — ou les premiers, selon qu'on monte ou qu'on descend — barreaux de l'échelle. Il s'épaula au chambranle et regarda les arbres maigres, et les cadavres rigides aux pieds des troncs, et la mer mobile à travers les branchages, et les bestiaux arboricoles s'ébattant dans les houppiers, et tout ce qui, en bref, se pouvait regarder. Derrière lui, Gutman monologuait d'une voix pâteuse et palatale.

— Rien ne presse, répétait l'homme épais, le corps enfoui dans le fauteuil profond d'où n'émergeaient que ses inlogeables extrémités et l'ogive de son crâne, saillante et exposée comme un œuf dans un coquetier, l'esprit repu et flou dérivant pour sa part sur un présent bordé par quelques avancées d'avenir immédiat.

— Il faudra brûler tout ça, dit Gutman en désignant les détritus mobiliers qui encombraient l'étage, toutes sortes d'objets dont il fallait se forcer pour admettre qu'ils avaient pu un jour être neufs. Tout ça doit disparaître, je ne garderai que ce fauteuil. Il est parfait, ce fauteuil.

— Les caves, réitéra Buck.

— Plus tard, les caves. Pour l'instant, rien au monde ne pourrait me faire bouger d'ici.

Il fallait le contredire encore. Tout explosa.

D'une seconde — ou, pour être inutilement précis, d'une durée de 9 162 631 770 périodes de la relation correspondant à la transition entre les deux niveaux hyperfins de l'état fondamental de l'étalon de caesium 133 — à l'autre, le stock explosif du sous-sol transforma le palais en volcan. En décomposant les stades de l'éruption, ce fut d'abord Gutman qu'elle projeta vers le plafond où s'aplatit son corps énorme, qui, formant en s'y écrasant une gigantesque éclaboussure anatomique, homogène et visqueuse, recouvrit en à-plat la totalité de sa surface. Puis ce fut au plafond de se volcaniser, et les débris obèses s'éparpillèrent avec lui dans le ciel tiède et bleu. Propulsé par le souffle, Buck s'envola par la porte à quelque trente mètres et son corps vint décorer les branches de quatre arbres assez distants les uns des autres, ainsi parés comme des arbres de Noël d'ogres. Dans la poussière et la fumée, de toutes parts et en tous sens, comme la couronne d'un geyser, des mercenaires encore intacts fusaient vers les hauteurs, tenant encore en main qui son automatique, qui son couteau, qui sa fourchette. Le palais, réduit dans sa totalité à l'état pulvérulent, retomba à sa propre place, déconstruit par les effets mécaniques brisants. Les débris de l'inventeur, plus poudreux et légers que les autres, tombèrent les derniers sur le monceau, en pluie fine, retouche finale, personnalisée.

Le séisme ébranla l'île entière jusque sur sa circonférence, et les vagues qui la léchaient incessamment reculèrent un instant, firent des gestes, se troublèrent. Le monticule central dominant l'insulat rechigna sur sa base, les fûts étirés des araucarias qui en prolongeaient le faîte ondulèrent un instant comme des fouets sinusoïdes, et Selmer et Arbogast, qui, de là, considéraient l'affaire depuis son ouverture, tombèrent en désordre l'un sur l'autre.

Ils s'étaient éveillés plus tard qu'à l'ordinaire. Ils s'étaient étirés, bâillant et marmonnant, et s'étaient mis en route comme chaque matin en mâchant mollement des bananes et des biscuits, vers ce monticule d'où ils avaient accoutumé de faire un quotidien tour d'horizon, aux sens propre et figuré à la fois, ce qui est rare, toujours bouché qu'il est, l'horizon, d'une façon ou d'une autre. Cette inspection, en principe imposée par la nécessité d'une vigilance militaire, s'était progressivement transformée, la nonchalance et le peu de scrupules aidant, en une petite promenade hygiénique qu'ils effectuaient sans hâte ni bavardage, laissant s'effilocher les restes diurnes de leurs rêves, ou bâtissant paisiblement entre ces résidus des passerelles rationnelles, tout cela dans une placidité parfaite et détachée, dans ce climat particulier de bienveillance universelle, d'affabilité somnolente et d'inaltérable intériorité où baignent et flottent les petits déjeuners pris en commun entre personnes calmes et peu préoccupées.

Le soleil émettait ses premières vrilles lorsqu'ils parvinrent au sommet de l'éminence. Selmer s'était assis, adossé au tronc d'un conifère. Arbogast, debout, l'œil circulaire et flou, respirait l'air des altitudes relatives. Quand dans son champ visuel apparut le palais, ses sourcils se haussant d'un coup, s'arrondissant ses lèvres et ses vertèbres se cambrant, l'ensemble produisit un sifflement léger, puis une observation :

— Il se passe quelque chose, on dirait.

Comme Selmer dépliait d'incrédules paupières, des claquements d'armes résonnèrent vers l'est, d'abord isolément, semblables à des hoquets ou des incongruités, ou aux picotements préliminaires d'un bûcher, aux étincelles annonciatrices et déclenchantes, avant que déferlât, comme sous l'effet d'un appel d'air, l'embrasement détonateur, l'incendie de percussions qui fit bondir Théo à l'état vertical, provoquant simultanément chez Tristano et chez Joseph, chez Vera et Caine, chez Buck, Raph, Gutman et chez les mercenaires, les conduites qu'on sait.

Arbogast et Selmer contemplèrent l'action dans sa totalité, depuis son alpha pointilliste et discret jusqu'au vaste omega déflagrateur. Tout à fait éveillés maintenant, ils avaient estimé les forces en présence, évalué leurs chances respectives, commenté la tactique, supputé la stratégie, observé les manœuvres et prévu l'issue. Au premier assaut, Selmer fut tenté d'intervenir, mais Arbogast l'en dissuada : quitte à s'immiscer ultérieurement dans le spectacle, mieux valait attendre que le nombre des acteurs s'en réduisît ; on pouvait compter sur l'armement du palais pour élaguer dans un premier temps la masse mercenaire.

— Et Tristano ? fit Théo. Et Joseph, et les autres ?

Arbogast eut un sourire avunculaire.

— Que pensez-vous qu'ils feraient à notre place ?

— Bien sûr, admit Théo. Évidemment.

Et ils s'étaient, tant qu'à faire, installés de leur mieux dans les araucarias, et, en experts plutôt qu'en supporters, ils avaient assisté au combat comme à un match quelconque. Arbogast filma tout : avancées, replis, feintes, erreurs, succès, défaite. Rien ne leur échappa de l'assaut terminal, et leur tranquillité ne commença de se troubler que lorsque les assaillants, une fois le palais investi, le délaissèrent pour quadriller l'île par petits détachements bardés. Cette brusque rupture de ton fit naître chez Selmer et Arbogast une inquiétude, parente de celle qui parcourt les rangées spectatrices quand à un comédien se prend l'idée, louable mais besogneuse, de descendre dans la salle en plein milieu du drame qui, sur scène, se noue, se tord ou se dénoue.

Ils risquaient maintenant d'être très vite repérés, acculés, et sans doute presque aussitôt défunts. Un instant, dans leurs cerveaux sereins, cela flotta. Ce fut alors que le palais se pulvérisa dans un vacarme et un rayonnement énormes, protohistoriques. Sous la violence de l'onde de choc, tout le monde cessa de se courir après ; sur l'île, à cet instant, on explosa ou bien on contempla, sans autre alternative, dans la stupeur et la tonitruence. Arbogast filmait de plus belle.

— Ils étaient là, les explosifs, soupira-t-il après que tout, ou presque, fut retombé. Ils étaient là, tout près. Je suis une bête.

L'édifice explosant, le séisme indicible eut pour premier effet de clouer les tueurs sur place ; puis, criards, insoucieux d'autres cibles, ils coururent en vrac, guidés par la lueur. Comme avec leur reflux s'estompait leur tapage, Arbogast et Selmer convinrent qu'il valait mieux fuir expressément, et gagner le rivage : la mer les laisserait aller où ils voudraient.

Ils dérapèrent sur les flancs du monticule et s'engagèrent discrètement dans un sentier embryonnaire, obstrué par des buissons épineux, informes, et par des massifs de fougères qu'ils écartaient tendrement sur leur passage, dans le sens du poil.

Arbogast s'arrêta le premier. Sur la gauche, le vert homogène et peu nuancé de la végétation semblait receler une forme contractée, humanoïde et beige. Les contours de la forme, brouillés par la profusion chlorophylienne, la rendaient indistincte. Par ailleurs, la tonalité beige s'affectant à toutes sortes d'habits, du tailleur au treillis, ils conçurent une méfiance et ne s'en approchèrent que courbés, accroupis, rampant enfin.

Dissimulée au cœur d'un buisson filical, Vera était là, fœtale et prostrée, le visage entre les genoux et ses bras enserrant ses jambes repliées, refermée sur elle-même à l'instar du buisson, et compacte comme lui, comme un bijou dans un écrin, adoptant par mimétisme les particularités de cet écrin, sauf que, beige, elle n'était pas verte.

Arbogast l'appela doucement. Elle sursauta, leva les yeux, le reconnut. Elle pleurait, et ses joues égratignées par les ronces laissaient sourdre un peu de sang qu'elle étalait sur son visage froissé en essayant de l'essuyer et qui, délayé dans ses larmes, composait une sorte de fard, mélange rougeâtre et fortement salé de pleurs et de plasma. Arbogast s'approcha d'elle, se pencha. Il lui parlait doucement, estimait l'état des écorchures, et il prenait sa main, et il tirait de sa poche une étoffe, effaçait les traînées coagulées, supprimait tous les dommages suppressibles, toutes choses que l'on fait en de pareilles circonstances, mais qu'il accomplissait avec une nuance.

Ensuite, ils avaient repris le sentier tous les trois. Selmer suivait Arbogast et Vera qui marchaient tout près l'un de l'autre.

— Mais non, disait Arbogast doucement.

Vera pleurait encore un peu en marchant, mais ses larmes étaient plus rares et plus nettes. Elle avait entendu l'explosion, l'inventeur était mort, sûrement. Sûrement, dit Arbogast. Et les autres aussi, sans doute, supposa-t-elle. Sans doute, dit-il. Paul aussi était mort, dit Vera. L'inventeur, je'm'en fous, dit-elle, mais Paul. Et elle pleurait encore un peu.

— Il me racontait des histoires. Avant de quitter Paris, il avait commencé celle des trois lanciers du Bengale, mais il est mort. Il est mort avant la fin de l'histoire.

Arbogast retint son souffle et compta dix pas avant de parler.

— Moi, je la connais, la fin, dit-il.

Vera faillit s'arrêter de marcher, mais ce n'était pas le moment. Allez, allez, faisait doucement Selmer derrière eux. Elle baissa la tête.

— Alors, chuchota-t-elle, Mac Gregor ?

— A votre avis ? souffla Arbogast.

— Il s'en sort, dit Vera, il s'en tire.

231

— Non, dit Arbogast, il meurt. Il meurt, on le décore, et comme il n'est pas là, c'est son cheval qu'on décore à sa place. La Victoria Cross, je crois, et une autre médaille, j'ai oublié le nom. C'est comme ça que ça finit.

Et ce fut alors, c'en devenait lassant, que retentit encore une détonation, assortie de son projectile, lequel projectile, après être passé à seize centimètres du menton de Selmer, vint se loger dans un tronc d'arbre, lequel arbre, sous le choc, laissa choir son fruit, lequel fruit, dans ce contexte, ne tomba sur la tête de personne, car c'eût été ce qu'on appelle un gag. Selmer se rua en avant.

— Cachez-vous, dit-il rapidement, allez jusqu'au bateau. Je les attire vers la plage, on se retrouvera plus tard.

Il sortit son arme de sa poche et se mit à courir en direction du nord, tirant dans tous les sens pour attirer l'attention des mercenaires qu'il entendit bientôt derrière lui, barrissant et feulant, jetés à sa suite parmi les herbes, les tiges, les troncs, mais trop distants encore pour pouvoir le viser. Il courait. Il se rappelait avoir couru assez vite, adolescent, pendant les cours d'éducation physique, seul souvenir de mouvement qu'il conservât de ses années d'études, avec les cours de langues où s'agitait sa langue. Il se rappelait avoir aimé courir, et s'étonnait de courir encore si vite et si facilement, et que ce fût si agréable, même avec une escouade de tueurs à ses trousses.

Il avait pris spontanément, sans réfléchir, l'initiative de les attirer derrière lui, comme si la chose allait de soi. Néanmoins, comme il entendait maintenant, et de plus en plus près, la meute poursuivante, l'absence absolue de tactique qui particularisait son geste lui apparut, autant que peut apparaître une absence, dans toute son horreur. Aucun projet précis n'était le support de cette course, aucune ruse, et les poursuivants eux-mêmes s'étonnaient peut-être de son apparence schématique. Peut-être leur faisait-elle même concevoir quelque soupçon, flairer un

232

stratagème, peut-être éveillait-elle chez eux une interrogation, mais c'était à Selmer que se posait le seul vrai problème, sécable en deux questions simples : comment s'en débarrasser, comment ne pas mourir. Il analysait le problème tout en courant. Et plus il réalisait son incapacité à le résoudre, plus il courait vite. Comme il reprenait un peu d'avance, il aperçut la fin de la forêt.

La mer était à trois cents mètres, il la voyait déjà. Entre elle et la forêt s'étendait un terrain rectiligne, minéral, blanc, parfaitement découvert. Eût-on voulu aménager un champ de tir qu'on n'aurait pas conçu place plus adaptée que celle où, à l'état de cible, Selmer s'élança hors de l'ombre et des feuilles, sous la lumière d'un soleil indifférent, objectif et précis comme un projecteur.

A peine émergé de l'abri végétal, Selmer perçut une première brûlure à l'épaule. Comme c'était la première fois de sa vie qu'il recevait une balle dans le corps, il n'établit pas tout de suite le rapprochement ; il pensa absurdement à une piqûre d'insecte, à un brutal coup de soleil, à un nerf déplacé. Le second impact, un peu au-dessus de la hanche, l'amena à des vues plus justes.

Il lui sembla courir encore plus vite, mû par un mécanisme qui le dépassait, un automatisme potentiel insoupçonné, comme si les projectiles renforçaient son élan et le poussaient chaque fois un peu plus vers l'avant. Il en reçut encore plusieurs, et il s'étonnait de ne jamais s'abattre. Toutes sortes de balles et d'idées sinistres le traversaient ; ainsi, les tueurs ne semblaient viser que les points périphériques de son corps, comme par jeu, sûrs qu'ils devaient être du résultat de la poursuite, et profitant à la fois de cette certitude et de l'opportunité de disposer d'une cible mouvante sur terrain idéal pour différer l'issue et ne pas gâcher la cible tout de suite, la rentabiliser en quelque sorte, en la criblant de balles bien ajustées dans ses centres les moins vitaux jusqu'à ce qu'elle devienne inutilisable en tant que cible, stade auquel, sans doute, on l'achèverait en lui trouant le cœur, ou le front, ou les deux. Selmer imaginait les mercenaires rivalisant d'adresse, à qui le toucherait en le blessant le moins possible, au gras de la jambe, au lobe de l'oreille, à l'auriculaire, aux cheveux, à l'ombre.

Toutes les balles ne l'atteignaient pas, mais il se sentait tout perforé sur la périphérie. Haletant, emballé, il songea curieusement et plusieurs fois à vérifier s'il était en état de respirer et de courir, s'irrita, c'était une idée absurde, toute idée était absurde, une fois arrivé à la mer il n'aurait d'autre ressource que s'y jeter, mais il ne pourrait pas nager, il aurait mal, il n'avait pas encore vraiment mal, il n'avait pas le temps, il sentit par avance la brûlure du sel sur ses blessures, il pensa au sang et aux larmes de Vera, il courait, ce n'était plus lui qui courait, criblé, quelqu'un d'autre était criblé et courait à sa place, poursuivi par une horde monstrueuse, et alors il vit distinctement l'eau, à dix mètres devant lui. Pendant ces dix derniers mètres, une dernière balle le toucha, sans qu'il pût en localiser précisément le point d'impact. Pas plus que les autres elle ne l'empêcha de courir.

Le terrain de rocher plat ne s'abolissait pas dans la mer en pente douce ; un décrochement dans le caillou formait une sorte de remblai, de falaise minuscule, au léger contrebas de laquelle s'étalait une frange étroite de sable. Dans sa course d'automate, Selmer dévala la plate-forme après avoir un instant pédalé dans le vide et tomba sur la plage dans une position curieuse. Le visage noyé dans le sable, immobile et définitif, il écouta battre son cœur, cogner ses trente artères, aller et venir l'air dans son arbre bronchique. Il mobilisa ce qu'il pouvait mobiliser de muscles ; l'essentiel semblait répondre et il pensa qu'il mourrait en bon état. Il perçut, tout autour de son corps, les sons entrelacés des vagues, du vent, et du vent sur les vagues, comme un vaste frisson froid, frisé, froncé, froissé, et ce fut sur ce fond farci de fricatives qu'il entendit se rapprocher les mercenaires.

Ils étaient douze. Ils avançaient de front, couraient souplement, les crosses de leurs armes coincées sous leurs aisselles ou dans leurs poings, ils avaient la tête haute. Ils s'arrêtèrent sur le rebord de la plate-forme, ne tirèrent pas tout de suite. Ils échangeaient des phrases, des interjections en canaque et en anglais que Selmer, à leurs pieds, traduisait par un ultime effet de l'habitude, sans y tenir vraiment et sans d'ailleurs y rien comprendre. Il devina les canons qui convergeaient.

Alors quarante objets en plomb, de forme sphérique et du diamètre d'un empan, se déplaçant à la vitesse de vingt-cinq mètres à la seconde, s'abattirent avec précision comme une forte grêle, labourant le front de mer où se tenaient les mercenaires alignés. Le rapport entre les uns et les autres étant d'un peu plus de trois objets sphériques pour un mercenaire, il ne resta définitivement plus rien de ces derniers après que se fut dissous le fracas de l'événement. Théo Selmer enregistra ce bruit énorme, qu'il prit d'abord pour celui de sa propre mort. Il s'attendit à se trouver mort, ne se trouva pas mort, fut surpris à l'extrême. A cet extrême en surplus, s'ajoutant à l'excès d'extrêmes qui s'étaient succédé en un temps finalement assez court, il n'eut pas la force de faire front. Il s'abandonna, et se sentit se diluer dans quelque chose comme un coma.

33

Le taxi ondula autour de la République et descendit le boulevard Saint-Martin. Abel regardait défiler les grands boulevards, long et large ruban de bitume presque droit, bordé de trottoirs et de toutes sortes d'édifices, de choses et de gens, très peu d'animaux, et qui changeait de nom tous les quatre cents mètres. A ces changements de nom semblaient correspondre des changements de style, architecturaux, économiques, tonaux, climatiques peut-être. De la République à la Madeleine se déroulait ainsi un lent processus métamorphique en saccades, par segments. Les noms des segments eux-mêmes semblaient calqués sur les particularités de leurs habitants et équipements respectifs. Italiens et Capucines, Bonne-Nouvelle et Poissonnière, ces noms semblaient marquer, désigner tout ce que celaient ces boulevards d'objets et de personnes toujours, bêtes incluses. Les gens riches, Abel l'avait observé, habitaient souvent dans des rues aux patronymes opulents, et les gens pauvres écopaient également souvent d'appellations sordides. Abel se demanda si on le faisait exprès ou si c'était les noms eux-mêmes, économiquement neutres au départ le plus souvent, qui, au fil du temps, à force d'être accolés sans cesse à la présence ou à l'absence d'argent, avaient à ce point connoté la pauvreté ou la richesse qu'ils avaient abouti à les dénoter, puis à les signifier.

On passa rue de Mogador. Carrier attendit dans la voiture. Abel monta chez lui et redescendit, le carton à chapeau sous son bras. Le taxi n'eut que quelques mètres à faire pour rejoindre le boulevard Haussmann, qu'Abel à son tour regarda. Du point de vue patronymique qui le préoccupait un peu plus tôt, le boulevard Haussmann représentait un cas particulier, comme une curiosité scientifique. En effet, de même que la tour Eiffel, qui porte, outre son propre poids, le nom de l'homme qui l'a fait construire, ce boulevard porte le nom de l'homme qui l'a fait percer, ce qui le fait se signifier lui-même et se représenter d'une façon bien différente des autres artères, dont les appellations, malgré leur pouvoir évocateur magique, hypertrophié mais toujours flou, ne sont rien au regard de la marque objective et froide, incontestable, que représente la signature du baron Haussmann, en bas et à droite de son boulevard. D'ailleurs, nombre de boulevards avoisinants, également percés par le seul baron, et liés entre eux par un air de famille, auraient également pu être baptisés de son nom, et sans doute s'en est-on abstenu dans le souci de ne pas égarer l'usager.

Le taxi les déposa devant le square Louis-XVI, d'où Abel suivit Carrier jusqu'à une haute porte, double et vitrée. Un hall démesuré, plongé dans la pénombre, semblait occuper tout le rez-de-chaussée. Le sol de cette vaste entrée était couvert d'un tapis si vieux, et qui s'appliquait si remarquablement à sa surface, que l'on pouvait légitimement se demander lequel, du tapis ou du hall, avait été fait pour l'autre. Ils s'approchèrent d'une cage de verre dans laquelle un gardien en habit outremer s'assoupissait sur un volume épais recouvert de papier violet. Le gardien s'arracha de son livre avec peine et ne tourna qu'au tiers la tête lorsque Carrier, à travers l'hygiaphone, expectora son nom. Le gardien entrouvrit un peu plus les paupières et les volets de plexiglas, fit répéter.

— Carrier, répéta Carrier.

L'index du gardien s'érigea en signe d'attente, s'infléchit horizontalement, en signe d'invite, vers trois fauteuils bas cernant un guéridon à l'autre bout du hall, et s'introduisit dans les alvéoles d'un cadran téléphonique qu'il fit pivoter trois fois sur lui-même avant de clore l'hygiaphone d'une phalange sèche. Carrier vérifia sur les lèvres du gardien la transmission correcte de son nom, puis se tourna vers les fauteuils et traversa le hall. Abel s'assit à sa suite et à son côté, le carton sur les genoux toujours.

Le hall était aussi vide et silencieux que vaste et sombre. Ne le meublaient que ces fauteuils, cette table et ce gardien, outre un petit palmier en pot qui en marquait, au fond, la borne, et les figurations grouillantes du tapis qui le couvrait. De ce tapis saillaient des détails hétéroclites, sans lien ni suite entre eux, sans logique apparente et sans qu'il fût possible, d'où se trouvait Abel, de reconstituer l'unité de son motif, ni même d'extrapoler l'existence d'un motif. Peut-être fallait-il se trouver au milieu du hall pour joindre ces formes éparses, les synthétiser en une forme unique, fût-ce une formule. Abel fit glisser avec les précautions d'usage le carton cylindrique sur le guéridon bas, se leva et marcha vers le centre du textile, attentif aux images qu'il foulait. Elles défilaient sous lui, précises et nommables, et c'étaient une tulipe ou un dauphin, un livre ouvert et deux violons croisés, des canons, des visages humains, des formes animales, des grappes de raisin. Bien que chacune de ces images, isolée, fût aisément reconnaissable, Abel ne pouvait établir entre elles aucun lien logique, qu'il fût de ressemblance ou de correspondance, de continuité et de contiguïté. Parvenu au centre de la

surface, il tenta en vain de sommer le disparate, de l'inté-
grer en un objet sensé, mais la surface était trop grande
pour que l'on pût en distinguer les motifs éloignés, sans
lesquels sans doute aucun sens général n'était sensible,
aucune acception acceptable. L'objet prenait l'allure para-
doxale d'une vaste représentation abstraite, composée
dans sa totalité d'éléments figuratifs. Abel retourna
s'asseoir.

Le téléphone sonna dans la cage vitrée. Le gardien
décrocha, raccrocha. Son index cogna contre la paroi, en
signe de signal, puis se pointa vers l'ascenseur, imprimé
d'un léger mouvement de bas en haut, en signe de signe.
Carrier se leva.

Au deuxième étage, la porte de l'ascenseur s'ouvrait
directement sur un espace aussi grand que le hall silencieux, mais plus silencieux que lui encore, et beaucoup
plus clair. Tout au fond était une table avec un homme
derrière, qui fit un geste. Abel et Carrier traversèrent
la pièce, si vaste que leur parcours était presque un
voyage. A leur approche, l'homme assis derrière la table
agita son menton vers Abel.

— Abel Portal, annonça Carrier, il travaille avec moi.

Abel fut à peine surpris de cette présentation abrupte,
et en quelque sorte double, puisque, tout en présentant
Abel à l'homme assis derrière la table, elle présentait
également Abel à lui-même, sous son nouveau statut et
dans son nouveau rôle. Il n'y avait rien à dire ni à redire.
L'étrange était que son existence ordonnée eût caché une
autre existence sans qu'il s'en fût aperçu, et que la façon
dont il avait rangé sa vie, l'ordre qu'il y avait instauré,
se mettaient à prendre une configuration nouvelle, une
signification différente, une cohérence tout autre que
celles qu'il avait cru, voulu et pu y mettre. Son regard
demeura posé sur un rectangle bleu fixé au mur, comme
un oiseau sur un fil électrique. Carrier symétrisa la présentation.

— Monsieur Haas, fit-il d'une voix de guide-conférencier. Nous travaillons pour lui.

— Vous avez reçu les films ? demanda monsieur Haas. Carrier se fouilla et s'extirpa une bobine qu'il lui tendit. D'une mimique minuscule, monsieur Haas dévia son geste vers un objet semblant une sculpture ancienne ou un moulage de sculpture ancienne, en pierre ou en terre cuite, montée sur une tige de métal mat et figurant vaguement une tête imprécise.

— Vous savez comment ça marche, dit-il.

Puis ses yeux flottèrent dans la région d'Abel et son coude esquissa un mouvement infime qui, chez cet homme apparemment économe d'expression, pouvait servir à désigner un siège. Abel s'approcha d'un fauteuil et s'y déposa. Derrière lui, Carrier s'activait sur le crâne antique, d'où, comme d'un phare, surgit brusquement un faisceau lumineux qui forma en s'y écrasant une tache pâle sur le mur adverse. Carrier fit le tour de la pièce, fermant les stores et tirant les rideaux, et, l'ombre épaississant, la tache gagna en force et en contraste jusqu'à devenir un rectangle lumineux, un pur format, net et blanc comme une page vierge. Y parut une image, immobile et floue. S'anima, se précisa l'image.

Le film était en couleurs. Les plans fixes étaient bien cadrés, les panoramiques un peu tremblés, les effets de zoom trop nombreux. On y voyait surtout des personnages, isolés ou groupés, dans un décor ensoleillé de nature exotique que quatre kangourous traversèrent en bondissant, de droite à gauche. Carrier nommait les personnages au fur et à mesure de leur apparition.

— Et Caine ? demanda monsieur Haas.

— Ça ne va pas tarder, dit Carrier. Le voilà.

Une suite de plans montra le même homme dans différentes situations, marchant sur une plage, parlant seul au sommet d'un arbre, urinant contre le mur d'une construction bizarre, la seule que l'on vît dans le film. Abel fronça la peau de son front. Il lui semblait avoir déjà vu ce personnage, sans pouvoir déterminer où et quand. Carrier se tourna vers lui.

— Ça vous dit quelque chose ?

— Il me semble, fit Abel, mais je ne suis pas sûr. Je ne sais pas.

— Un ami d'une de vos anciennes employées. Celle qui, hésita Carrier, celle chez qui vous avez trouvé le paquet. Vous avez dû le rencontrer dans sa loge, il y passait de temps en temps.

— Carla ? sursauta Abel. Un ami de Carla ?

Carrier ne répondit pas.

— Vous savez pourquoi elle est morte ? demanda Abel d'une voix rétrécie.

Carrier ne répondit pas plus. En se tournant, Abel croisa pour la première fois le regard de monsieur Haas et lut dans ce regard une réponse à sa question, une réponse autrement claire, imparable et définitive, que le plus rigoureux des énoncés. Les yeux de monsieur Haas semblaient même répondre à d'autres questions que se posait intimement Abel, et peut-être encore à d'autres qu'il ne se posait pas. Mieux, pis, ce regard lui parut circonscrire d'un seul coup et à jamais l'espace de compréhension, voire l'espace d'existence qui lui étaient accordés, prendre possession de lui-même, édicter les conditions de sa survie et le définir irrévocablement, définir jusqu'à sa propre personne, jusqu'à son propre corps. Abel éprouva un affolement et se tassa dans son fauteuil, et revint au film, qui s'acheva.

— C'est bien, dit monsieur Haas. De quand datent ces images ?

— Un peu moins d'une semaine, dit Carrier. Ça prend du temps pour arriver jusqu'ici. Vous avez vu, ils n'avaient pas l'air inquiet. Ça a dû très bien se passer. Tout doit être fini, maintenant.

241

Il regarda sa montre. Monsieur Haas examinait ses ongles.

— C'était pour aujourd'hui ?

— Oui, hésita Carrier, enfin, pour hier, on ne s'y retrouve pas avec le décalage horaire. C'est énervant.

— Où en sommes-nous avec le projet Patillot ? demanda monsieur Haas à l'ongle de son pouce droit.

Carrier répondit avant l'ongle.

— C'est pour ça que j'ai amené Portal, j'ai pensé qu'il pourrait faire l'affaire. On pourrait le mettre avec Parkinson.

— Comme vous voudrez, dit monsieur Haas. Mais Parkinson travaille déjà avec Poiret, non ? Et Poiret, qu'est-ce qu'il va devenir ? Il va travailler seul, Poiret ? Voyons.

— Mais, monsieur, souffla Carrier d'un air gêné, Poiret doit nous quitter, il me semble. Vous avez décidé vous-même de mettre fin à ses fonctions.

— Excusez-moi, dit monsieur Haas, j'avais oublié. Et, dites-moi, vous avez pensé à quelqu'un pour mettre fin concrètement aux fonctions de Poiret ?

— Eh bien, avança Carrier, à vrai dire, j'avais pensé à Parkinson.

— Bonne idée, approuva monsieur Haas, bonne et simple idée. Voilà, il remplacera Poiret. Vous verrez, ajouta-t-il en tournant son profil vers Abel, vous serez content de travailler avec Parkinson, vous ne le regretterez pas. C'est quelqu'un de très bien, quelqu'un de toute confiance. Vous êtes au courant du travail ?

— Pas encore, intervint Carrier, j'attendais d'avoir votre accord.

— Vous l'avez, fit monsieur Haas avec un geste ténu de la paume.

Carrier tourna son fauteuil vers Abel et se fit une voix d'assesseur.

— C'est très simple, prévint-il. Il s'agit de l'un des

collaborateurs de monsieur Haas, qui s'appelle monsieur Patillot. Monsieur Patillot est l'auteur et le propriétaire, et donc le principal bénéficiaire, de certains brevets d'inventions dont monsieur Haas assure la fabrication et la diffusion. Le contrat établi entre eux au moment de l'engagement de monsieur Patillot stipule que c'est à monsieur Haas que reviendrait la totalité des droits d'exploitation de ces brevets en cas de disparition de monsieur Patillot. Jusqu'à ces derniers temps, rien de particulier : monsieur Patillot poursuivait ses recherches, déposait ses brevets comme tout le monde, et monsieur Haas pourrait vous dire à quel point il tenait à sa collaboration.

Abel eut un regard involontaire vers monsieur Haas, qui approuva d'un remuement palpébral microscopique.

— Mais malheureusement, reprit Carrier, la productivité de monsieur Patillot, qui commence à se faire vieux, a considérablement diminué depuis quelques mois. En un mot, il ne fait plus rien, tout en continuant à percevoir une part des droits d'exploitation de ses anciens brevets qui est assez considérable, et, pour tout dire, disproportionnée à ses besoins. C'est du moins l'avis de monsieur Haas. Monsieur Haas tient cette situation pour regrettable, voire injuste, et, simplifions, désire en conséquence, bref, se débarrasser de Patillot, suis-je assez clair ?

Abel dit oui.

— J'étais sûr de votre compréhension, dit Carrier, mais ce n'est pas tout. La disparition de monsieur Patillot présente un autre avantage. Nous allons mettre en scène cette disparition. Nous allons faire courir le bruit que Patillot est parti en emmenant avec lui des papiers importants, et nous entretiendrons autour de ces papiers une rumeur. Nous ne devrions pas tarder à voir surgir une foule de personnages appâtés par cette rumeur, curieux de ces papiers, et confondant déjà ceux-ci avec celle-là. Si nous mobilisons ainsi ces gens autour d'un enjeu, si nous les opposons grâce à lui les uns aux autres, ils se seront tous entretués — c'est le but de l'affaire — sans prendre le temps de vérifier si cet enjeu existe vraiment. Il suffit de ne pas leur laisser ce temps. Il suffit de ralentir ou d'accélérer le mouvement quand c'est nécessaire pour les occuper, les déposséder de leur temps. Les choses vont toujours très vite dans ces cas-là, vous verrez que c'est simple.

— Je n'y aurais pas pensé tout seul, dit Abel.

— Sait-on jamais, dit Carrier.

— Mais qui sont ces gens ? s'enquit Abel sans grand espoir. Pourquoi voulez-vous qu'ils s'entretuent ?

— Toutes sortes. Toutes sortes de gens gênants, ou qui le deviendraient. Mais venons-en à l'essentiel pour ce qui vous concerne. L'objectif étant d'attirer dans cette opération le plus grand nombre possible de protagonistes, il est bon de multiplier les fausses pistes — elles sont toutes fausses, d'ailleurs, donc en un sens toutes vraies, mais je m'égare. Nous allons donc injecter dans ce circuit plusieurs exemplaires des papiers de Patillot. C'est ici que se situe votre travail. Vous serez chargé de faire circuler certains de ces documents au moment voulu. Tâche simple.

— Je ne saurai peut-être pas comment faire, objecta Abel. Je ne connais rien à tout cela, je n'ai aucune expérience.

— Mais si, fit Carrier en montrant le carton à chapeau.

— Ah, dit Abel.

Sous la neutralité de ce monosyllabe se distinguait une assurance : Abel comprenait maintenant à peu près tout. Derrière cette assurance se camouflait une interrogation. Le carton à chapeau contenait deux éléments, une liasse et un cube. Que la liasse fût factice était chose possible, et peu lui importait ; mais le cube, il l'avait éprouvé, il s'en souvenait distinctement, le cube était vibratile. Peut-on être à la fois factice et vibratile ? Et la question est-elle

bien posée ? Abel cela ces considérations sous une phy-
sionomie atonale et émit un propos d'usage.

— Je peux refuser.

— Non.

— On peut toujours, dit Abel.

— Pas dans votre situation, dit Carrier.

— Ma situation, répéta Abel.

— Vous savez bien, dit Carrier, le 11 novembre.

— Oui, dit Abel.

— Il va de soi que vous serez payé, précisa Carrier.

— Bien sûr, dit Abel en se levant. Je crois que je vais
rentrer.

— Eh bien, à samedi, dit Carrier. Chez moi, à Nanterre. Je vous présenterai Parkinson.

Abel se retourna vers la porte et il vit à ses pieds le
carton à chapeau. Il le ramassa comme pour le saluer,
peut-être pour le saluer, et puis, machinalement, peut-être
pas machinalement, il le renversa doucement sur lui-
même. Habitué au phénomène, il perçut le déclic et le
léger bourdonnement déclenchés par le mouvement,
imperceptibles aux autres, trop éloignés et trop inatten-
tifs. Il déposa le paquet sur son fauteuil, toujours
retourné sur sa face supérieure et absorbé dans son chu-
chotement vibreur, et il regarda monsieur Haas.

— Monsieur Haas, dit Abel, il y a un objet dans ce
carton. Une sorte de petit cube.

Acquiesça monsieur Haas, toujours sobrement, d'une
infinitésimale motion ciliaire.

— Peu m'importe ce que c'est, poursuivit Abel, je
voudrais simplement savoir de quoi est fait ce cube. C'est
un matériau que je ne connais pas.

Ouvrit monsieur Haas au minimum sa bouche, qui se
fendit en un sourire émincé et expulsa un trait d'érudition.

— C'est la matière dont les rêves sont faits, dit monsieur Haas.

— D'accord, dit Abel.

Et il s'en fut.

Il emprunta l'escalier pour descendre, et, du palier du premier étage, il redécouvrit le hall vêtu de son tapis. Comme il l'avait pensé, seule une vue plongeante permettait de reconstituer l'unité de son motif : cela représentait une barque énorme, antique et orientale, trirème ou pentécontore mue par des voiles et des rames conjuguées, et embarquée apparemment pour cause de déluge. S'y amassaient en effet, jusqu'à déborder par-dessus ses plats-bords, toutes sortes d'objets et toutes espèces d'êtres vivants, grouillement d'animaux appariés, alignements d'herbes et d'arbustes, foisonnement exhaustif de choses, rigoureux échantillonnage de tout ce qui se peut trouver sur terre. Ce qu'Abel avait pris pour un fatras de matériaux dépareillés se révélait une somme parfaite, un catalogue de nature et de culture organisé avec soin, en ordre. Et il en était de cet ordre et de ce bateau qui traversait en diagonale l'espace de chanvre et de lin comme de la vie d'Abel ; opaque et indistincte au ras du sol, elle s'éclairait d'une logique nouvelle dès que l'on s'élevait un peu dans les hauteurs de l'immeuble Haas.

Dehors, le froid lui fit du bien. Il descendit le boulevard Haussmann en marchant lentement, s'efforçant de ne penser à rien, marchant et pensant sur des œufs, dans une attente incertaine.

Parvenu au coin de la rue du Havre, il entendit du mouvement derrière lui, du bruit. Il ne se retourna pas. Et puis il vit des commerçants surgir aux seuils des magasins, des habitants s'encadrer dans leurs embrasures, des passants dévier de leurs parcours et fixer un même point, derrière lui, et tous de se grouper et de parler, commenter, répondre, questionner. Le gaz, affirmaient d'aucuns ; un court-circuit, assuraient d'autres ; les deux, supposaient des tiers. Abel continuait de marcher, de plus en plus difficilement maintenant, car il devait écarter sur son passage des bras, des genoux et des bustes agglutinés qui remontaient en sens inverse vers le spectacle supposé. A l'angle de la rue Caumartin, il vit surgir en trombe pompiers et policiers, ambulanciers, photographes, et tous autres corps de métier que le sinistre mobilise. Des volutes le rejoignirent. C'était une fumée noire, âcre et collante, efficace. Des gens toussaient. Abel respira.

Le soleil trouait à nouveau les nuages, depuis le matin ; la lumière s'égouttait sur le trottoir, çà et là souillée et amortie par la fumée visqueuse. Abel pensa aux femmes de la rue de Mogador, guettant l'amant provisoire au creux des taches de soleil et se déplaçant sur le trottoir en même temps qu'elles, insensiblement. Rançon du voisinage, il en connaissait une, qui s'appelait Noëlle. Il conçut le projet de trouver Noëlle et de célébrer avec elle, longuement, l'incendie de ses soucis. A contre-courant de la foule, compacte maintenant, qui montait vers l'Étoile, Abel prit à gauche et marcha sur la Trinité.

34

L'île se trouve au centre du Pacifique, vers le bord oriental de la Micronésie, au nord-est de l'archipel Marshall, à égale distance de Shangaï et de San Francisco, ou, pour ceux qui connaissent, de Ning Po et d'Eureka. Son relief est inégal, sa forme circulaire. Sa faune et sa flore sont représentatives pour l'essentiel des animaux et végétaux océaniens.

En ce moment, si l'on veut bien excepter Théo Selmer et les susnommées faune et flore, on peut observer qu'aucune vie ne règne sur cette île. Une odeur de poussière et de poudre y plane encore par endroits, et les corps qui jonchent sa surface n'ont pas tous achevé de se vider de leur sang ; quelques artères isolées en évacuent encore un peu, par saccades faiblissantes, aussitôt coagulées. Le silence est assis sur cette île.

Le cœur de Théo Selmer produit des pulsations régulières, un peu lentes. Son souffle siffle un peu, mais sa respiration est régulière également. Aucune balle n'a provoqué sur son corps de lésion vraiment décisive ; beaucoup l'ont atteint aux jambes. Pourtant, son état est difficile à distinguer de l'état posthume, aux rythmes biologiques près. Sans doute lui-même ne pense-t-il pas à les distinguer ; d'ailleurs, on peut simplement imaginer qu'il ne pense pas. Il a sombré, épuisé d'être déjà mort de peur et de fatigue, et d'avoir tant couru sur de telles jambes.

Au terme d'un moment incalculable et incolore, qui est une absence de temps, un trou, Théo Selmer ouvre les yeux. Même à lui il est extrêmement difficile de savoir ce qu'il pense, ce qu'il peut essayer de penser, s'il pense. Cet éveil, cette émergence, il les vit dans l'indifférence, dans le néant qui n'a pas achevé de se dissoudre en lui, dans l'oubli du langage.

Son regard accommode sur un galet, galet parmi les galets, tout contre son œil. Ovale et crayeuse, cette première perception signe son retour au monde comme un acte fondateur, une preuve ; l'envahit brusquement une bouffée d'omnipotence et de maîtrise ; comme un contact que l'on met, un déclic, surgit le pouvoir de penser. Selmer ébauche un mouvement, son geste avorte et sa tête retombe sur les galets dans une autre position, les yeux dirigés maintenant vers la mer. Un nouveau temps de latence s'écoule, et son regard enregistre maintenant autre chose qu'un galet. C'est un gros objet posé sur l'eau, juste en face de lui. Un bateau, pense Selmer, un navire. Il se réjouit de pouvoir désigner un même objet par deux mots ; cela lui paraît la preuve qu'il recouvre le langage. Puis il se réjouit encore, mais c'est plus ambigu, d'avoir jusqu'à la force de se demander s'il n'est pas, sa faiblesse aidant, l'objet d'une illusion.

Hallucinatoire ou pas, le bateau se laisse décrire. C'est un grand bâtiment à deux ponts, comme on en fabriquait au dix-huitième siècle. Ses trois mâts soutiennent une infinité de voiles affaissées que de petits sujets, agrippés aux vergues, s'appliquent à carguer. Les flancs du vaisseau sont percés sur leur longueur de deux rangées superposées de trous carrés comblés par des canons, par les gueules desquels s'effilochent encore des fils de fumée bleuâtre et grisâtre. Le scintillement cuivré de la proue rend indistincts les contours de sa figure ; sous elle, en un trait oblique, la chaîne d'ancre s'enfonce dans l'eau. Théo Selmer s'épuise à détailler cet amalgame de toile et de bois, de cuivre, canons et cordages, qui flotte à deux cents mètres de ses yeux.

A bord de l'amalgame, les sujets descendent une chaloupe en s'aidant de poulies. On viendra le chercher, ou on ne viendra pas ; il ne sait ce qui est préférable. Par défi, par confort, par défiance et confiance entrelacées, par l'effet aussi d'une certaine variété d'indifférence, il s'abandonne. Il laisse retomber sa tête sur les galets, il ferme les yeux. Il se laissera faire.

On approche, on accoste. On le porte, on l'étend au fond de la chaloupe. On rame, on le hisse, on le porte encore, on l'étend, on le déshabille, on le panse. On le laisse dormir, on sort. Il ouvre les yeux. Autour de lui, dans l'ombre, tout est en bois, matériau calme. Il referme les yeux, s'endort, soumet le monde à son sommeil. Il dort.

Il dormit deux jours et une nuit. Puis il s'éveilla, se leva et sortit de la cabine, et il erra un moment dans les entrailles opaques du navire avant de trouver leur issue ; au faîte d'une échelle se trouvait une trappe accédant à l'air obstiné, au ciel tenace, à la mer invétérée. Un vertige l'envahit, parent de celui qu'il avait un jour éprouvé à Venise, lorsque, après s'être perdu interminablement dans un réseau confus de ruelles étroites, l'une d'elles l'avait brutalement propulsé sur la place Saint-Marc, immense, comme s'il basculait dans un gouffre horizontal. Il se dressa, les deux pieds sur le parquet du pont. Au-dessus de lui, les voiles innombrables, enflées, greffées au bâtiment par une superstructure oblique et verticale de mâts, d'étais et de haubans, d'amures, propulsaient le bateau, forêt mobile, à une vitesse disproportionnée à sa taille et à sa consistance.

Tout autour, la mer était luxueusement vide. Aucun autre bateau, aucune terre ne troublaient son étendue.

Incapable d'estimer l'allure ni le cap du navire, pas plus que la durée de son sommeil, Théo Selmer n'avait aucune idée de l'endroit du monde où il se trouvait — situation rare.

Autour de lui s'occupait l'équipage : des jaunes, des noirs, des blonds, des chauves, d'autres, coiffés de bonnets bleus ou de casquettes ocre. Quelques-uns s'occupaient des voiles de rechange, pliant un cacatois, recousant un perroquet ou bordant une perruche. D'autres lavaient très lentement le pont. Du côté du ciel, perdu au cœur de l'entoilage compliqué de la mâture, immobile et roux comme une autre figure de proue en réserve, ou en disgrâce, le profil de la vigie émergeait d'un vaste baril échancré fixé à l'artimon. Sous lui, au pied de son arbre, un grand Arabe aux cheveux blancs piquait des épingles à têtes colorées sur une vaste carte marine affichée à la paroi d'un rouf.

Hormis la vigie taciturne, les marins parlaient entre eux. Chacune de leurs phrases, brèves, assourdies par l'océan, et où s'entremêlaient des mots hétéroclites arrachés comme par lambeaux à diverses langues, formait une sorte de nœud, comme un conglomérat de sens possédant sa configuration particulière, unique, et perdue sitôt qu'articulée. Selmer demeura un moment à l'affût de ces figures compliquées et éphémères, dont l'effort de traduction convoquait dans sa mémoire tout le vocabulaire technique de la marine, dans une redoutable quantité d'idiomes. Puis il marcha vers l'avant du bateau.

Une femme se tenait debout près du bossoir, tournée vers la mer. Elle parlait à un homme assez âgé qui portait une forte barbe et un uniforme de la marine marchande. La femme était jeune, avec des cheveux blonds et une robe blanche ; elle désignait un point vers le large, et ce geste, dans la lumière déclinante, semblait stylisé, presque allégorique. Elle se retourna, aperçut Selmer et s'approcha de lui. Ils se dirent bonjour, ils se dirent

leurs prénoms, Rachel, Théo, le capitaine disparut. Oui,
dit Théo, Arbogast lui avait parlé d'elle.

Elle lui demanda s'il avait bien dormi, s'il n'avait
pas trop faim, s'il ne souffrait pas trop de ses blessures.
Il répondit par des affirmations d'un optimisme sans
mesure ; elle sourit.

Ils s'assirent sur un banc de bois vissé au pont. Passé
le stade de la pourpre, le soleil commençait à s'adoucir,
à s'oranger. Théo raconta ce qui s'était passé dans l'île,
mais brièvement, presque sans y croire, les mots venaient
mal. Tout lui paraissait infiniment lointain, raboté,
aplani, comme si trente heures de sommeil avaient marqué une borne, édifié un mur frontalier en deçà duquel
sa vie n'offrait aucune prise à sa mémoire, frappée d'indifférence comme on frappe un mur d'alignement. Peut-
être, pensa-t-il, cet effet de nivellement était-il dû au
mouvement du navire lui-même, à quelque particularité
de son tangage. Cela lui rappela le hors-bord, Arbogast.

— J'aimais bien Arbogast, dit-il, ça m'embêterait qu'il
soit mort.

— Je ne crois pas qu'il soit mort, dit Rachel. Ça
m'étonnerait de lui.

La lumière vira au safran, franchit le seuil du bistre,
et Théo s'endormit encore.

Il rêva que le bateau le ramenait jusqu'à Toulon, où
il était né. Il descendait à terre et s'installait à la terrasse
du Neptunia, juste sur le port. Survenait un garçon de
café, grave et roux comme la vigie, qui déposait devant
lui une bouteille couchée, au creux de laquelle flottait
la miniature d'un navire. Théo se penchait vers la bouteille et s'apercevait lui-même, minuscule, sur le pont du
bateau, tirant au canon sur d'infimes poissons volants
qui se cognaient en sautant contre les parois de verre ;
mais un boulet mal ajusté, tiré trop haut, brisait le
flanc de la bouteille qui se vidait frénétiquement, par
gorgées, sur un rythme de cœur battant, et la mer fuyant

par l'orifice formait un tourbillon où bientôt s'engloutissait le navire naufragé, et les marins s'échouaient sur la table du bar, se débattaient et gigotaient sur le plateau de bakélite, ouvrant et fermant leurs bouches avec des gestes convulsifs, des yeux asphyxiés, comme des poissons tirés de l'eau.

Il se réveilla sur son lit, dans sa cabine, couvert de sueur et à peine expulsé de son rêve, épuisé. Il se leva, s'approcha du hublot étroit ; l'obscurité semblait suspendue à un fil, en perte d'équilibre, sur le point de se dissoudre. Il se rendormit.

Le lendemain, il retrouva Rachel sur le pont.

— J'ai dormi longtemps.

Il songea à regarder sa montre, découvrit son poignet. Le verre était cassé, les aiguilles tordues, le ressort mutique.

— Ce n'est pas que j'y tenais, dit-il.

— Vous en trouverez une autre à Canton, dit Rachel. Nous y serons dans deux semaines.

Selmer défit la boucle du bracelet et le jeta par-dessus bord. Il imagina le lent parcours de sa montre, traversant une eau toujours plus sombre et loin du ciel, et se posant enfin, avec douceur et anachronisme, sur le pont ensablé d'un galion espagnol, à moins qu'au passage elle ne fût happée par quelque animal profond et glouton.

— Venez, dit Rachel, allons déjeuner.

La salle à manger flottait dans une ombre claire. Ses murs étaient couverts de tableaux. Les tables n'étaient pas toutes occupées, tous les marins ne mangeant pas forcément à la même heure. Ceux qui étaient là parlaient à mi-voix, paisiblement, dans un accord parfait d'odeurs de nourriture, de cire et de sel. Régnait une atmosphère de bord de mer, bien qu'on en fût au centre. Ils s'assirent près d'une fenêtre.

— Si vous me laissez à Canton, dit Théo, je pourrai m'arranger ensuite pour rentrer.

— Si vous voulez, dit Rachel. Où irez-vous ?

— Je ne sais pas encore exactement. Je vais essayer d'y réfléchir.

— Vous avez le temps.

— Et vous, demanda Théo, où allez-vous ensuite ?

— Vers le nord, dit Rachel. Vers le pôle nord, le plus près possible. Le capitaine est d'accord.

— Pourquoi ?

— Pour voir.

— Vous allez vous geler, objecta Théo.

— La cale est pleine de fourrures.

— Oui, reprit-il, la cale est pleine de fourrures, bien sûr, avec des sacs de pièces d'or et de diamants, et des coffres d'ivoire ou de bois précieux bourrés de perles, de saphirs.

Elle sourit.

— C'est tout à fait ça.

— Je ne sais pas, dit Théo, je vais peut-être avoir envie de partir avec vous.

— Si vous voulez, dit Rachel.

Et puis ils achevèrent leur repas, et puis ils se levèrent.

En quittant la salle à manger, Théo s'attarda sur les tableaux accrochés aux murs. La plupart représentaient des paysages, reproduits avec un souci excessif de réalisme. L'un des tableaux représentait un homme et une femme, sur fond de paysage chaotique. Un autre figurait la mer, traversée de biais par un grand bateau à voiles.

Lorsque Théo remonta sur le pont, émergeant de la pénombre, la lumière brute du dehors agressa ses yeux comme une hache. Il se fouilla et retrouva dans une poche les lunettes noires prêtées par Arbogast. Un verre s'était fendu, en même temps que la montre sans doute, dans sa chute sur la plage. Il faudrait s'habituer à voir le monde ensoleillé coupé en deux, jusqu'à Canton ; sans doute trouverait-il aussi des lunettes à Canton. Théo regarda le ciel.

A Canton, quinze jours plus tard, ils retrouvèrent Arbogast qui avait traversé l'océan en hors-bord, par des voies connues de lui seul. Vera était avec lui. Ils embarquèrent, le navire repartit.

Deux mois plus tard, après avoir traversé les mers de Chine et du Japon, et longé la mer d'Okhotsk, après avoir laissé sur leur droite les îles Riou-Kiou et Kiou-Siou, sur leur gauche les îles Ouroup et Otouroup, ils arrivent en vue des terres Aléoutiennes, égrenées sur l'eau en chapelet convexe entre Dutch-Harbour et Oust-Kamtchask. Il fait froid, le ciel est exempt de tout nuage quand le navire, suivant maintenant vers le pôle le trajet du méridien de Greenwich, passe au-dessus du ravin Aléoute, entre sept mille mètres d'eau et cent mille mètres d'air. Le soleil est vif mais contracté, paralysé par l'air arctique.

Théo regarde encore le ciel à travers ses lunettes neuves. C'est le matin, il est très tôt. Il n'y a presque personne sur le pont, sinon un vieux marin insomniaque qui enroule un cordage sur lui-même, formant comme un large gâteau plat sur le plancher. Rachel est accoudée au-dessus du gouvernail, surplombant le sillage. Elle aussi porte des lunettes noires. Théo s'approche d'elle. Ils se regardent à travers leurs quatre verres. Au moment où leurs visages se rejoignent, les branches de leurs lunettes se touchent, et cela produit un petit bruit de matière plastique, tout petit, perceptible à eux seuls, englouti dans le tumulte de l'eau qui se déchire au-dessous d'eux.

Ils restent ainsi, presque immobiles. Nous nous élevons. Sans les quitter des yeux — ils diminuent —, nous nous élevons lentement jusqu'à saisir bientôt le navire tout entier, et la mer tout autour de lui, dans le champ rectangulaire de notre regard. A ce spectacle on

peut adjoindre de la musique. On peut aussi conserver
le son naturel de l'océan, qui décroît dans notre ascension, jusqu'au silence. L'image s'immobilise.

Le navire coupe l'image en deux, obliquement. Il fend
la mer comme un scalpel et l'eau se referme derrière lui,
et les reliefs blancs du sillage vont en s'émoussant,
s'atténuant après son passage, et l'eau s'apaise progressivement jusqu'à recouvrer sa lisseur mobile, ridée,
reproduisant à l'accéléré l'évolution d'une blessure, le
procès de sa cicatrisation.

REPRODUIT ET ACHEVÉ D'IMPRIMER LE
VINGT-QUATRE NOVEMBRE MIL NEUF CENT
QUATRE-VINGT-DOUZE DANS LES ATELIERS
DE NORMANDIE ROTO IMPRESSION S.A.
À LONRAI (61250)
Nº D'ÉDITEUR : 2795
Nº D'IMPRIMEUR : I2-2267

Dépôt légal : novembre 1992

Dépôt légal décembre 1992